8/13   YmB

Tynnwyd o'r stoc
Withdrawn

Golygyddion Cyfres y Dderwen:
Alun Jones a Meinir Edwards

Rhywle
yn yr Haul

SONIA EDWARDS

Argraffiad cyntaf: 2013

Comisiynwyd y gyfrol gyda chymorth ariannol AdAS

Cynllun y clawr: Y Lolfa

Rhif Llyfr Rhyngwladol: 978 1 84771 646 0

Cyhoeddwyd ac argraffwyd yng Nghymru
gan Y Lolfa Cyf., Talybont, Ceredigion SY24 5HE
gwefan www.ylolfa.com
e-bost ylolfa@ylolfa.com
ffôn 01970 832 304
ffacs 832 782

MOELFRE, MÔN
Hydref 25, 1859

Roedd y niwl glas, rhyfedd 'ma dros y lle i gyd, yn gorwedd fel cadach gwlyb ar draws y lle'r arferai mynyddoedd Eryri fod. Roedd o'n bell ac yn agos ar yr un pryd. Teimlai Nel y byddai wedi gallu cyffwrdd ynddo. Roedd bysedd y niwl wedi bod yn cribo trwy'i gwallt hi eisoes a'i adael yn gudynnau llipa ar draws ei hwyneb.

"Ty'd i'r tŷ, Nel, o'r hen niwl 'ma. Annwyd gei di yn sefyllian yn hwnna. A bendith tad i ti, rho siôl dros dy ben!"

Llais ei mam, gwraig y doctor. Gorofalus. Gorymwybodol o bob clwy a salwch. Roedd ei thad, y meddyg ei hun, yn llawer mwy ymlaciedig ynglŷn ag iechyd ei ferch. Ac yn rhy brysur, meddyliodd Nel, yn tendiad ar bobol oedd yn sâl go iawn i fod yn poeni am bethau gwirion fel Nel yn mynd allan i'r niwl heb siôl dros ei phen.

Roedd ei mam yn ffwdanu ynglŷn â phopeth. Gwyliu rhag hyn. Gofala rhag y llall. Heddiw roedd y niwl od yn boen arni. Annwyd, wir! Roedd hi wedi siarsio'i merch i beidio ag oeri. Ond doedd hi ddim yn oer y tu allan, er ei bod hi'n ddiwedd mis Hydref. Roedd y dail wedi dechrau troi lliw ers sbel, roedd hynny'n wir, a'r nosweithiau'n byrhau ond na, yn rhyfedd iawn doedd hi ddim yn oer. Mi ddylai hi fod. A dweud y gwir, roedd y tywydd yn arbennig o fwyn ar gyfer yr adeg honno o'r flwyddyn. Yn anghyffredin o fwyn. Bu'r bore hwnnw'n *heulog fel haf a'r mynyddoedd yn y pellter i'w gweld mor glir â phe baen nhw ar stepan y drws. Penderfynodd Nel fod yna rywbeth od ynglŷn â'r diwrnod i gyd. Popeth mor llonydd fel pe bai'r byd yn dal ei anadl. Yn disgwyl i rywbeth ddigwydd.*

Wyddai Nel ddim mai dyna'r gosteg cyn y storm ofnadwy a fyddai'n llarpio glannau'r ynys ac yn lluchio un o longau enwocaf y cyfnod, y Royal Charter, *i ddannedd enbyd creigiau Moelfre. Doedd ganddi ddim syniad o'r hyn oedd i ddod, o'r digwyddiadau trasig y byddai hi ei hun yn cael ei thynnu i fod yn rhan ohonyn nhw. Ond gwyddai nad oedd pethau fel y dylen nhw fod. Gwyddai fod rhywbeth ar droed. Roedd hi'n cael yr iasau o hyd. Y teimlad o fygu. Y tro diwethaf i hynny ddigwydd golchwyd corff i'r lan. Doedd hynny ddim yn ddychryn iddi pan glywodd hi'r stori gan ei thad. Roedd hi wedi ofni'r peth ddyddiau ynghynt, wedi codi cragen fôr at ei chlust a chlywed ochenaid olaf rhywun cyn i'r tonnau feddiannu enaid arall.*

Ac roedd ofn ar Nel rŵan hefyd. Ofn y gosteg niwlog oedd yn darogan bod y môr yn ysu am rywbeth. Ond beth? Bywyd arall? Darn o dir?

Yn gynnar y noson honno, cafodd Nel gur pen, a mynd i'w gwely'n gynt nag arfer, ymhell cyn iddi dywyllu. Breuddwydiodd am donnau enbyd a chreigiau danheddog. Clywodd ochneidiau a deffro'n sydyn i ganol hunllef un o'r llongddrylliadau enwocaf i ddigwydd ar lannau Môn.

Byddai'r storm honno, a thrychineb y Royal Charter

yn newid bywyd Nel, merch y doctor, ac yn cadarnhau ei hofnau: bu ei greddf a'i holl synhwyrau yn llygaid eu lle, yn ei rhybuddio na fyddai pethau byth yr un fath eto.

1

Hydref 2012

Bore Sul. Sŵn clychau'r eglwys o bell er bod twrw'r gwynt yng nghorn y simdde. Nid gaeaf ydi hi chwaith. Mae twrw'r gwynt yn y corn drwy'r flwyddyn oherwydd fod y tŷ ar dir uchel. Nid fy nhŷ i ydi o. Eu tŷ nhw. Eu pethau nhw. Ond fy nghartref i ydi o. Maen nhw wedi dweud hynny wrtha i o'r cychwyn. Dy gartref di ydi hwn, Ela. O'r diwrnod y cyrhaeddais i. Dy gartref di ydi hwn. Dwi wedi gwneud fy ngorau i gredu hynny. Mi ddylai hi fod yn haws ar ôl deng mlynedd. Ond ar y tu allan ydw i. Dydw i ddim yn perthyn. Maen nhw'n trio'n galed. Gwneud eu gorau. Nid arnyn nhw mae'r bai nad ydw i'n ffitio i mewn.

Mae'r gwynt yn cryfhau. Does gen i ddim syniad pam, ond bob tro bydd y gwynt yn y simdde fel hyn dwi'n meddwl am sŵn y môr. Dwi ddim yn gwybod pam. Dydan ni ddim ar gyfyl y môr yn y fan hon. Mae o'n od. Dwi'n dychmygu dwndwr tonnau a sisial môr ar draeth ers pan dwi'n cofio. Efallai mai rhywbeth o'r gorffennol ydi o. Rhyw atgof na alla i roi llun iddo. Mae yna dynfa ynof fi tuag at bethau fel'na erioed. Straeon morwrol am longddrylliadau ac ati. Neu efallai mai dim ond hoffi straeon ydw i. Hoffi darllen. Dyna un peth da am beidio cael neb i ddarllen stori i mi pan oeddwn i'n blentyn bach, mae'n debyg. Roeddwn i'n ddigon chwilfrydig (neu efallai mai unig oeddwn i?) i wneud yn siŵr fy mod i'n dysgu darllen yn iawn, a hynny o oed cynnar. Nid am fy mod i'n glyfar. Isio cwmni oeddwn i. Ac mi ges. Môr-ladron T. Llew Jones ac anturiaethau Lois a Luned Bengoch. A hanes Madam Wen. O ia, fi oedd honno, yn calpio ar hyd y glannau ar fy ngheffyl gwyn a fy nghlogyn tywyll fel baner tu ôl i mi. Ond y ffefryn o'r holl hanesion oedd hanes llongddrylliad y *Royal Charter*. Ac roedd hi gymaint mwy cyffrous na'r gweddill am ei bod hi'n stori wir. Cydiodd honno ynof fi o'r cychwyn cyntaf. Pan fo'r gwynt o'r môr yn dod i feddiannu fy nychymyg fel y bydd o o hyd, yn rhyfedd iawn am wynt y *Royal Charter* y bydda i'n meddwl bob tro. Digri fel mae stori o gyfnod plentyndod rhywun yn glynu ac yn aros.

Dim ond y fi sydd adra. Fi a'r ci. Mae'n well gen i'r ci na neb. Mi ddaeth yma yr un pryd â fi. Ac erbyn hyn mae Dingo'n hen, yn gwneud dim byd ond cysgu, yn chwyrnu fel y gwynt sy'n stwffio'i ysgyfaint i lawr y simdde. Wneith Dingo ddim byw yn hir iawn eto. Dyna drefn pethau. A fydd y lle ddim yr un fath hebddo fo. Dydw i ddim mor drist ag y dylwn i fod wrth feddwl am hynny. Efallai mai gwybod ydw i, yn ddwfn yn fy isymwybod yn rhywle, na fydda innau yma chwaith. Nid marw dwi'n ei feddwl. Jyst na fydda i yma. Ddim yn y tŷ yma ddim mwy.

Eurwyn a Catrin ydyn nhw. Fy rhieni maeth i. Athro Cymraeg ydi o, a gweinyddes feithrin ydi hi. Pobol iawn. Pobol dda. Pobol sy'n gwrando ar y clychau ac yn mynd i'r eglwys ar fore Sul. Nid fel fi. Dydyn nhw ddim yn gofyn i mi fynd hefo nhw erbyn hyn. Dwi'n ddigon hen i wneud fy mhenderfyniadau fy hun, meddan nhw. Mi ddywedon nhw hynny pan oeddwn i tua tair ar ddeg.

"Does dim rhaid i ti ddod rŵan, Ela. Dim os nad wyt ti isio dod go iawn."

Dim ond unwaith oedd angen iddyn nhw ddweud. Wnes i ddim tywyllu'r lle byth wedyn. Dim ond gwrando ar y clychau a gwrthod ufuddhau. Fel R. Williams Parry. Dyna'r unig gerdd ar gyfer TGAU y gwnes i ei mwynhau go iawn. Tri ffrind yn mynd am dro i'r mynydd ar ddydd Sul poeth ym mis Gorffennaf yn lle mynd i'r eglwys. Anwybyddu'r clychau ac yn sgil hynny gweld rhyfeddod y llwynog. Roeddwn i'n deall hynny. Mynd yn groes i'r graen. Dyna pam bod gen i stỳd yn fy nhrwyn a thatŵ ar fy ysgwydd. Dim ond un bach, bach. Dolffin glas tywyll. O bell mae o'n edrych fel clais. Roeddwn i'n disgwyl iddyn nhw wylltio pan ddes i adra'r diwrnod hwnnw. Diwrnod cael y tatŵ. Ond ddywedon nhw fawr ddim. Roedd hynny, mewn ffordd od, yn brifo. Oherwydd nad oedden nhw go iawn yn malio, nag oedden? Achos dydw i ddim yn ferch iddyn nhw, nac ydw?

"Dy gorff di, dy ddewis di," meddai Catrin a throi'n ôl at y sinc lle'r oedd hi'n plicio moron i'w rhoi mewn caserol. Ac roedd ei difaterwch yn fwy miniog na'r gyllell fechan a ddaliai yn ei llaw.

Nid felly fyddai hi pe bai gan Siwan datŵ. Siwan yw eu merch nhw. Y ferch fiolegol. Y ferch go iawn. Dydi hi ddim yn ddigon hen o bell ffordd ond pan fydd hi'n ddwy ar bymtheg ac yn dod adra hefo tatŵ mi fydd ei rhieni hi'n gwylltio'n gacwn. Yn codi eu lleisiau am eu bod nhw'n poeni. Ambell waith, dwi'n siŵr y gallai hynny fod yn beth braf. Cael rhywun yn poeni cymaint amdanoch chi nes eu bod nhw'n crio mewn rhwystredigaeth. Dydw i erioed wedi cael y profiad hwnnw. Dwi'n gwybod beth ydi cadw at reolau, a chael cosb am beidio ufuddhau. Ond i mi mae adra ac ysgol wedi bod yr un fath erioed. Cael fy nhrin yn deg, ia, ond heb fawr o emosiwn. Does 'na ddim byd gwaeth na thegwch oer.

Mae Siwan yn saith oed rŵan. Yr un oed â fi pan ddes i yma gyntaf. Mi fydda i'n edrych arni ac yn meddwl yn sobor mai felly'n union roeddwn i. Ond fedra i mo'i weld o rywsut. Roeddwn i'n hŷn na fy oed pan oeddwn i'n saith. Dwi ddim yn cofio chwarae hefo doliau yn y tŷ yma. Dwi'n cofio cael Barbie ond chymerais i erioed sylw ohoni, dim ond ei gadael ar y silff fel ornament. Dwi'n cofio dol yn perthyn i ryw fywyd pell oedd gen i o'r blaen. Bywyd cyn dod yma. Dol wedi'i gwau, a gwallt wedi'i blethu o edafedd melyn cras. Dwi'n cofio'i llygaid croes hi, a'r 'o' coch o geg sws. Ond dwi ddim yn cofio i ble'r aeth hi, ddim mwy nag ydw i'n cofio'n hollol glir chwaith o ble'n union y des i.

Dwi'n hoff o Siwan. Mae hi bron fel chwaer fach, ond ddim cweit. Mae gormod o fwlch oedran rhyngon ni. Dwi'n teimlo'n debycach i fodryb neu *au pair*.

Rhyw fath o nani ddi-dâl sydd ar gael drwy'r adeg. Peidiwch â 'nghamddeall i, mae gen i feddwl ohoni ond mae'r potensial iddi droi'n sboilt brat yn cynyddu fesul diwrnod. Mae hi'n cael gwersi nofio, gwersi reidio, gwersi piano. Dwi'n nofio fel bricsen, dwi ofn ceffylau a hynny o fiwsig sydd gen i dwi'n ei gario yn fy mhen. Ond dyna fo. Does gen i ddim lle i gwyno. Mi fedrwn i fod mewn cartref plant mor hawdd â dim. Dwi'n lwcus i gael to uwch fy mhen. Chwarae teg, mae Eurwyn a Catrin yn ffeind. Yn glên. Wrth gwrs eu bod nhw. Yn fy nhrin yn 'deg'. Dwi'n cael gofal, bwyd, dillad. Bod yn rhan o deulu. Dim ond bod yna rywbeth ar goll. Mae'r peth yn gymhleth ac yn syml ar yr un pryd. Eurwyn a Catrin ydyn nhw, nid Mam a Dad. Nid fy nheulu i ydi o, naci?

Naci, meddai'r gwynt sy'n gaeth yn y corn. Nid dy deulu di. Mae o'n hen wynt sy'n swnian ac yn sgytian fel anifail gwyllt yn bygwth torri'n rhydd.

Nid dy deulu di.

MOELFRE, MÔN
Hydref 26, 1859

Deffrodd Nel i sŵn gweiddi. Roedd twrw gwynt trwy'r tŷ. Nid sŵn arferol y gwynt yn nadu yn y corn oedd hwn. Roedd drws y ffrynt wedi agor a chau. Lleisiau. Gweiddi. Traed yn trampio. Cododd Nel a thaflu'i siôl frethyn dros ei hysgwyddau. Roedd hi'n dywyll fel y fagddu a'r nos yng nghrafangau un o'r stormydd gwaethaf glywodd hi erioed. Ac eto roedd synau eraill yma hefyd, fel pe bai'r tŷ'n llawn pobol.

Roedd canllaw'r grisiau'n oer o dan ei llaw. Cyn iddi gyrraedd y gwaelod, roedd ei mam yno'n ei hwynebu. Edrychai'n ifanc a diarth hefo'i gwallt hir o gwmpas ei hysgwyddau yn hytrach nag yn ei gwlwm arferol.

"Be sy, Mam?" Ac yn ofni'r ateb a welai yn y llygaid meddal o'i blaen.

"Llong wedi mynd ar y creigiau, 'ngenath i. Ma dy dad wedi mynd allan hefo'r dynion i weld be fedar o'i neud... Nel!"

Roedd hi'n ceisio agor y drws ond roedd y storm yn ormod iddi, yn bygwth rhwygo hwnnw oddi ar ei fachau a rheibio'i ffordd trwy'r tŷ.

2

2005

Y Dolig pan oeddwn i'n ddeg oed mi ges i gitâr. Nid un plentyn. Un go iawn. Roedd hi mor fawr roedd yn rhaid i mi ei dal hi'n fflat ar fy nglin er mwyn ei chwarae hi. Ond dyna'r presant gorau ges i erioed. Fedrwn i ddim gadael llonydd iddi. Roedd pennau fy mysedd i'n gignoeth ar ôl tynnu ar y tannau ond doedd hynny'n poeni dim arna i. Achos roeddwn i'n gwella bob dydd, yn troi sŵn yn rhyw fath o fiwsig. Ymhen hir a hwyr roeddwn i'n chwarae alawon bach syml, yn dilyn fy nghlust oherwydd nad oeddwn i'n deall dim ar y llawlyfr o nodau cymhleth ddaeth yn anrheg hefo'r gitâr.

Am gyfnod byr mi wnaeth y gitâr i mi deimlo'n sbesial. Wedi'r cyfan, roedd o'n anrheg sbesial, yn doedd? Mae'n rhaid fy mod i'n bwysig i gael rhywbeth a oedd yn werth cymaint o arian, meddyliais. A'r peth arall a wnaeth i mi deimlo'n arbennig oedd y ffordd yr arhosai Catrin neu Eurwyn tu allan i ddrws fy stafell i wrando arna i. Roeddwn i'n chwarae'n dda, meddan nhw. Clust dda gen i. Wnes i ddim deall hynny'n syth. Clust? Wel, oedd, roedd gen i ddwy. Deallais wedyn mai clust gerddorol roedden nhw'n ei feddwl. Lwcus i mi felly. Doedd gen i neb na dim arall i ddysgu miwsig i mi.

Ond ciliodd newydd-deb hynny yn y man. Y sefyll

a'r gwrando. Mae'n rhaid fy mod i wedi dechrau swnio'n undonog ymhen dipyn. I fod yn deg, mae'n siŵr mai dim ond hyn a hyn o 'Jî Ceffyl Bach' fedar unrhyw un ei ddioddef. Mae hi'n wahanol pan ydach chi'ch hun yn gwneud y strymio a'r canu (os mai dyna oedd y nadau hynny ar y pryd). Mae unrhyw un sy'n chwarae offeryn yn gwybod hynny. Mi ydach chi ar goll yn eich byd bach eich hun, ar lwyfan yn rhywle yn eich meddwl yn diddanu torf a'r rheiny'n sgrechian am fwy.

Aeth wythnosau heibio cyn i mi ddarganfod mai gitâr ail-law oedd hi. Un o'r hogiau yn yr ysgol ollyngodd y gath o'r cwd. Doedd o ddim callach mai cyfrinach oedd y peth i fod, mae'n debyg. Mi ddywedodd yn ddidaro un prynhawn Gwener heulog a finna'n digwydd bod mewn hwyliau da:

"Chdi gafodd hen gitâr brawd mawr Tommy Goch, ia?"

Roedd Ceirion, brawd mawr Tommy, i ffwrdd yn y coleg ar y pryd ac yn chwarae gitâr fas mewn grŵp roc. Ei gitâr gyntaf o oedd hon ges i. Yn lle bod yn siomedig, gwelwn fy anrheg fel un llawer mwy cyffrous. Os oedd y sylw am hen gitâr Ceirion i fod fy mrifo i, wel, weithiodd o ddim. Roedd llawer mwy o ramant yn perthyn iddi ac roedd hynny'n egluro hefyd pam bod ambell grafiad fel ôl ewin arni yma ac acw a honno i fod yn newydd yn fy meddwl i.

Soniais i ddim byd wrth Catrin nac Eurwyn. Doedd o ddim yn fy mhoeni i beth bynnag. Rhoddais sticeri arni, gludo tair llythyren fy enw arni – E-L-A. Nid hen gitâr Ceirion oedd hi ond fy ngitâr newydd i.

"Rwyt ti Ela'n dod ymlaen yn dda hefo'r gitâr," meddai Eurwyn un noson a finna wedi bod yn ymarfer drwy'r nos. Doeddwn i ddim yn ymwybodol fy mod i wedi bod yn canu dros y tŷ. "Rhaid i ni feddwl am wersi go iawn i ti, bydd?"

Dwi'n cofio na ddywedodd Catrin fawr ddim, dim ond gwenu. Ymhen hir a hwyr gofynnodd:

"Dim gwaith cartref o gwbwl heno felly?"

Chytunodd hi ddim hefo Eurwyn fy mod i'n swnio'n dda. Roedd ei thawelwch yn dweud mwy na geiriau. Teimlwn yn dipyn o niwsans. Yn boen. Swnllyd. Yn ddieithryn ar draws eu cartref nhw. Nid dyna'r unig dro i mi deimlo felly. Efallai mai arna i mae'r bai am hynny. Fy mharanoia i ydi o. Mae o gen i erioed. Yma. Ac yn nhai ffrindiau. Dwi bob tro'n mynd adra o flaen pawb am fod gen i ofn aros yn rhy hir. Ofn bod dan draed. Ofn nad ydyn nhw fy isio i rhagor. Wedi'r cyfan, doedd fy nheulu i fy hun ddim fy isio i. Pam fasa pobol eraill yn teimlo'n wahanol? Dwi wastad wedi bod yn un i ymdoddi i'r cefndir rhag i neb sylwi arna i. Ond roedd hynny cyn y miwsig. Cyn y gitâr. Pan afaelwn yn honno roedd rhyw hyder rhyfedd yn llifo i fy mysedd i. Roeddwn i'n rhywun arall, yn berson newydd. Yn dechrau fy hoffi fy hun.

Fu dim mwy o sôn wedyn am y gwersi gitâr. Aeth dyddiau heibio, tridiau, pedwar diwrnod, wythnos. Wedyn, daeth y cyhoeddiad. Roedden ni'n tri wrth y bwrdd bwyd. Têc-awê. Doedd Catrin ddim wedi coginio'r noson honno. Roedd hi wedi bod yn edrych yn llwydaidd ers dyddiau ac roeddwn i'n amau fy mod i wedi'i chlywed hi'n taflu i fyny unwaith neu ddwy. Ond ddywedodd hi ddim byd a wnes innau ddim gofyn. Rhyw berthynas felly oedd hi. Clên hefo'n gilydd ond dim o'r sgwrsio personol, agos sydd i fod rhwng mam a merch. Roeddwn i'n gwybod bod mamau eraill yn wahanol. Mamau iawn. Byddai mamau fy ffrindiau'n holi a chwerthin a rhannu cyfrinachau. Ac nid y mamau biolegol yn unig, chwaith. Roedd Lois Evans yn fy nosbarth i wedi cael ei mabwysiadu. Dwi'n ei chofio hi'n dweud yn yr ysgol pa mor sbesial oedd hi am fod ei rhieni wedi mynd i chwilio amdani a'i dewis allan o res hir o fabis eraill ac na fyddai'r un babi arall wedi gwneud y tro. Roedd hi'n hollol amlwg nad oedd mam Lois Evans yn wahanol i famau'r lleill. Ond roedd hi'n wahanol i Catrin. Oedd, roedd hi'n ffeind, yn glên, ond teimlwn mai dim ond gwarchod oedd hi. Mam-dros-dro yn smalio bod yn rhywbeth nad oedd hi ddim.

Roedd y bwrdd bwyd yn annaturiol o flêr, a'r cartonau hanner llawn o reis a nwdls wedi dechrau oeri nes bod y bwyd yn gludo'n lympiau caled.

"Mae gynnon ni rywbeth i'w ddweud wrthot ti."

Eurwyn fyddai'n cychwyn y sgyrsiau difrif i gyd. Eisteddai Catrin a'i wylio. Roedd ei gwên yr un fath yn union â'r reis oer. Edrychais ar wefusau Eurwyn yn symud. Roedd sŵn peiriant torri gwair yn nofio i mewn drwy'r ffenest agored lle'r oedd y bleinds yn cnocio'n erbyn ei gilydd fel pigau adar ar gnau.

"Da, 'te?" meddai Eurwyn. "Cyffrous!"

Roedd pen Catrin yn nodio a'i ffrinj hir hi'n ysgwyd. Edrychai fel pyped a'i gwên yn llonydd o hyd fel pe bai rhywun wedi'i pheintio ar ei hwyneb. Nodiais innau fy mhen fel pe bawn i'n sbio mewn drych. Doeddwn i ddim wedi deall yn syth. Ddim wedi clywed eu geiriau, dim ond edrych arnyn nhw'n dod allan o'u cegau a disgyn i ganol y bwyd oedd yn oeri ar y bwrdd.

"Brawd neu chwaer fach," meddai Eurwyn, yn trio'i orau i fy nghynnwys i ond pawb yn gwybod na fyddai'r babi'n perthyn dim i mi go iawn.

Beth fyddai'n digwydd i mi rŵan? Roedd Eurwyn a Catrin yn disgwyl eu plentyn eu hunain. Hoeliais fy llygaid ar weddillion y têc-awê. Roedd fy llygaid i'n llenwi, ond nid am y rhesymau iawn.

MOELFRE
1859

Roedd y tawelwch wedi'r storm yn chwithig. Bron yn sioc. Rhyw ddistawrwydd euog, trwm oedd o, a'i gwmwl dros y pentref fel cysgod llofrudd. Bu nifer o ddynion, gan gynnwys tad Nel, yn mentro'u bywydau neithiwr yn nannedd y storm yn ceisio achub trueiniaid y llongddrylliad. Roedd wyneb ei thad fel y galchen, meddyliodd Nel, a'i ddwylo'n sgriffiadau ac yn gignoeth mewn mannau lle tynnwyd y rhaff trwyddynt. Nifer fechan iawn a oroesodd, a'r rheiny'n ddynion i gyd.

"Boddwyd dros bedwar cant o bobol."

Prin y gallai doctor Moelfre ffurfio'r geiriau. Roedd hon wedi bod yn anferth o long, un o'r llongau newydd, un o'r rhai cyflymaf a fu erioed a'i henw oedd y Royal Charter.

"Cario aur oedd hi," meddai'i mam. "Aur o Awstralia."

"Aur a bywydau," meddai'i thad yn dawel.

"Dod adra i Lerpwl oeddan nhw, wel'di. Pawb ar ei bwrdd wedi gwneud eu ffortiwn..."

Diferodd geiriau'r fam i ryw wagle wrth i'w gŵr syllu'n syth o'i flaen. Er bod ei wyneb yn gwbwl ddifynegiant llifai ei ddagrau fel pe na byddai atal arnyn nhw byth.

3

Chwarae teg iddyn nhw, cefais fy nghynnwys ym mhopeth, o helpu i beintio stafell i'r babi i roi barn am ddewis coets. Doedd y ffaith na wnaeth Catrin ddewis y pram wnes i ei awgrymu ddim yn bwysig. Mi wnaethon nhw ofyn fy marn i. Yn rhyfedd iawn, yn ystod beichiogrwydd Catrin teimlwn yn nes ati nag a wnes i erioed. Dibynnai hithau arna i wrth i'w bol dyfu'n fwy ac yn fwy. Rhannai ei meddyliau am y tro cyntaf. Trafododd enwau. Fi'n plicio tatws ac yn symud pethau oddi ar gadeiriau er mwyn iddi gael codi'i thraed i orffwys, a hithau'n ymddiried ynof i, yn rhannu ei bariau siocled anferthol a giglan yn wirion wrth gymharu ei chorff boliog newydd i hipo neu hwyaden heglog. Fi oedd yn rôl y fam, bron, a hithau fel plentyn cyffrous. Roedden ni'n hapus. Roeddwn i'n hapus. Bryd hynny, roedd arni hi fy angen i. Nid niwsans oeddwn i ond ffrind.

Pan ddaeth Siwan mi newidiodd pob dim dros nos. Roedd y person newydd bychan bach 'ma wedi cyrraedd i reoli pawb, a'i rieni wedi gwirioni. Eurwyn oedd yn gwneud popeth i Catrin rŵan nid fi. Daeth yr hen deimlad hwnnw o fod yn niwsans yn ei ôl. Ciliais i fy stafell a throi at fy ngitâr. Nes i mi gael rhybudd bod y babi'n cysgu ac felly doedd dim croeso i'r sŵn a grëwn i. Ond roedd y nadau a'r sgrechian a wnâi Siwan yn hollol dderbyniol, wrth gwrs. Daeth mwy a mwy o berthnasau i alw, a finna'n teimlo'n llai ac yn llai o berthyn i bob un.

"Chwaer fach newydd i ti, Ela," meddai un 'anti' glên ar ôl y llall a finna ddim yn siŵr iawn sut oeddwn i fod i ymateb. Doeddwn i ddim wrth fy modd hefo fy 'chwaer' newydd. Wedi'r cwbwl, doedd hi ddim yn chwaer i mi, nag oedd? Roedd hi'n swnllyd ac yn llond y tŷ ac yn gwneud i mi deimlo fy mod i'n fwy o ddieithryn nag erioed. Roedden nhw'n tynnu lluniau ohoni, cofnodi dyddiadau, gwneud fideos. Doedd yna'r un llun ohonof i'n fabi. Welodd Catrin nac Eurwyn mo fy ngwên gyntaf i, na fy ngweld i'n agor fy llygaid, nac yn sylwi ar bethau am y tro cyntaf. Welson nhw mohono i'n dysgu gafael. Chlywon nhw mo fy synau bach cyntaf cyfarwydd i. Y pethau dwi'n rhy ifanc i'w cofio. Does yna neb arall i'w cofio nhw chwaith.

Yn fuan ar ôl cychwyn yn yr ysgol uwchradd mi gawson ni waith cartref Hanes. Llunio coeden deulu. Sut roedd modd i mi wneud hynny? Wedi'r cwbwl, doeddwn i ddim isio cyfaddef i'r athrawes welw, drwynsur nad oeddwn i'n perthyn i neb. Catrin ddaeth o hyd i mi'n crio yn y llofft wedi cael ditensiyn yn fy nhymor cyntaf am beidio â gwneud fy ngwaith cartref. Es i i'r ysgol drannoeth â choeden deulu fanwl a pharchus rhwng cloriau fy llyfr Hanes. Achau Eurwyn a Catrin oedden nhw, nid fy rhai i. Mae'n debyg y dylwn i fod wedi teimlo'n ddiolchgar iddyn nhw am i mi gael dweud eu bod nhw'n rhieni i mi. Ond doeddwn i ddim. Roedd hi'n waeth rywsut, cael coeden deulu gogio. Gwnaeth i mi deimlo'n fwy unig fyth.

Dydyn nhw ddim wedi dychwelyd o'r eglwys eto. Dwi eisoes wedi rhoi'r cig Sul yn y popty yn ôl cyfarwyddiadau Catrin ac erbyn hyn mae arogl cig oen yn rhostio yn llifo o'r gegin. Dwi'n trio helpu mwy erbyn hyn. Yn trio fy ngorau i dalu'n ôl am y gofal rydw i wedi'i gael ar hyd y blynyddoedd. Oherwydd mi ydw i'n ddiolchgar. Wrth gwrs fy mod i. Dim ond fy mod i wedi teimlo erioed bod rhan fach ohono i ar goll.

Efallai mai dyna oedd y rheswm i mi fynd oddi ar y rêls pan oeddwn i'n fengach. Cael fy nhynnu i mewn i'r criw anghywir. Wel, dyna esgus Eurwyn pam fy mod i wedi gwneud mor wael yn fy arholiadau TGAU. Chwarae teg i Eurwyn. Wastad yn chwilio am reswm i beidio rhoi'r bai i gyd arna i. Dydi Catrin ddim cweit mor drugarog. Fedra i ddim gweld bai arni chwaith. Hi gafodd y drafferth fwyaf. Y sioc o ddelio hefo'r ffaith fy mod i'n feichiog yn bedair ar ddeg oed.

"Fedra i ddim credu hyn, Ela. Wn i ddim be i ddeud."

Ond unwaith y daeth hi dros y sioc, roedd ganddi ddigon i'w ddweud. Bygwth golchi ei dwylo ohonof i a fy anfon i gartref maeth arall. Nes i Eurwyn ymyrryd. Eurwyn annwyl, dadol na chododd o erioed mo'i lais yn ei fywyd. Dwi wastad wedi teimlo'n agosach ato fo, wastad wedi cenfigennu wrth Siwan am ei fod o'n dad iawn iddi hi ac nid i mi. Pedair oed oedd Siwan ar y pryd. Dwi'n cofio'r noson yn iawn. Noson braf o Fehefin ac yntau'n mynd â'i ferch am dro rownd yr ardd ar ei ysgwyddau. Eu gwylio trwy'r ffenest fawr yn chwarae jî-ceffyl-bach a hithau'n gwneud ei gorau i gipio dail oddi ar y goeden afalau wrth drotian heibio. Y ddau'n chwerthin. Cael hwyl. Finna'r ochr arall i'r gwydr, yn nhywyllwch y tŷ hefo Catrin, a'r llanast roeddwn i wedi dechrau ei wneud o fy mywyd yn oer fel cysgodion y dail yn y ffenest hir.

Ddau ddiwrnod ar ôl i Catrin fod â fi at y doctor dechreuodd y poenau. Wedyn y gwaed. Wedyn dim. Roedd y rhyddhad yn amlwg ar wyneb Catrin pan gollais i'r babi. O, oedd, roedd hi'n garedig, chwarae teg iddi, yn edrych ar fy ôl i, ond roedd hi'n falch hefyd. Roedd natur wedi datrys y broblem.

"Mi fyddi di'n falch fod hyn wedi digwydd," meddai, ond roedd ei llais hi'n dyner. "Doeddet ti ddim yn barod i fagu plentyn yn bedair ar ddeg oed."

Hi oedd yn iawn, siŵr o fod, ond wyddwn i ddim sut roeddwn i'n teimlo. Oeddwn, mae'n debyg fy mod innau hefyd yn teimlo rhyw fath o ryddhad, fy mod i wedi cael ail gyfle ar fy arddegau. Ond er i mi gael fy rhyddid yn ôl roedd yna deimlad od yn rhywle y tu mewn i mi fy mod i wedi colli rhywbeth eto fyth a fu unwaith yn rhan ohonof i.

Welais i mo'r hogyn hwnnw wedyn, hwnnw ddaru 'fy nghael i i drwbwl', chwedl Catrin. Welais i mo'r criw rheiny o ffrindiau gwyllt oedd gen i chwaith. Symudais i ysgol wahanol i ddilyn fy nghyrsiau TGAU.

Nid bod hynny wedi gwneud gwahaniaeth mawr i'r canlyniadau. Cefais ddigon i grafu fy ffordd yn ôl i'r Chweched Dosbarth. Mae dwy Lefel A yn fwy na digon. Dyna ydw i i fod i'w wneud rŵan. Adolygu. Dydw i erioed wedi bod yn dda iawn am wneud hynny. Mae'r geiriau fel petaen nhw'n nofio oddi ar y dudalen ac yn diflannu o fy nghyrraedd i. Wedyn dwi'n diflasu, yn cydio yn y gitâr nes fy mod innau hefyd yn hedfan i ffwrdd. Weithiau dwi'n mynd yn ôl yn fy meddwl at yr adeg pan ddes i yma gyntaf. Dwi'n meddwl am Siwan yn fabi. Meddwl am yr adeg y bu bron i mi orfod bod yn fam fy hun. Meddwl am fy mhlentyndod fel darnau jig-so ond mae cymaint o dameidiau ar goll. Efallai mai fi sydd yn gwrthod chwilio amdanyn nhw. Ond mae popeth yn fy ngorffennol i yn fylchau i gyd. Fy mam. Fy nain a fy nhaid. Ac wrth gwrs, y cartref plant.

MOELFRE
1859

Roedd y dyn ifanc yn ei wely yn y parlwr wedi dechrau
gwella. Wrth i'r dyddiau droi'n wythnosau, anghofiodd
Nel am ei swildod wrth helpu'i mam i dendiad arno.
Erbyn hyn codasai ar ei eistedd yn y gwely ac roedd yn
dechrau'i fwydo'i hun. Er bod yr anaf i'w ben yn un
egar a'i foch chwith yn fyw o gleisiau, roedd ei gof yn
dychwelyd yn dameidiog.

"Mae'n wyrth ei fod o'n fyw," meddai'i thad yn dawel.
"Mi ddaw y meddwl wrth i'r corff iacháu."

Doedd y dyn ifanc ddim yn cofio pwy ydoedd. Roedd
ei hunllefau'n dal i'w boenydio, ond nid cyn amled
erbyn hyn. Ni allai Nel ddychmygu pa erchyllterau oedd
yn dod i lenwi'i feddwl yn yr oriau mân. Roedd o wedi
goroesi ei hunllef ei hun, wedi herio angau.

Y bore hwnnw, pan aeth Nel â'i frecwast iddo,
digwyddodd rhywbeth na allai hi mo'i ddisgrifio. Doedd
o'n ddim byd ac eto roedd o'n rhywbeth digon pwysig i
effeithio arni. Edrychiad. Gwên. Dwylo'n cyffwrdd am
lai nag eiliad. Wyddai Nel ddim beth oedd o, ond pan
aeth hi o'r ystafell at ei brecwast ei hun, fedrai hi fwyta
dim. Roedd ei gwddw'n gwlwm a'i stumog yn corddi.

Daeth i ddeall yn araf, a'i bochau'n poethi wrth
sylweddoli mai cariad oedd y salwch rhyfedd 'ma oedd
wedi cydio ynddi. Ymhen ychydig ddyddiau, wedi i'r
dyn ifanc ymddangos fel pe bai o'n cryfhau, daeth ei

thad drwodd i'r parlwr bach lle'r oedd Nel a'i mam yn eistedd uwch eu gwaith brodio.

"Mae pethau'n gwella'n arw. Fydd o ddim yma'n hir iawn eto, gewch chi weld."

Roedd gwên ar wyneb y doctor wrth weld ei glaf yn gwella dan ei ofal ond daeth llaw oer i gydio yng nghalon Nel.

"Be sy'n gwneud i chi ddweud hynny?" holodd hi ei thad heb godi'i llygaid oddi ar ei brodio.

"Mae o'n ennill ei gof yn ôl fesul diwrnod," atebodd tad Nel. "Mae o'n cofio pethau pwysig erbyn hyn. Fel ei enw. Mae o'n gwybod mai ei enw cyntaf ydi Wil."

4

Pan oeddwn i yn y cartref plant roeddwn i'n rhy ifanc i sylweddoli lle'r oeddwn i'n iawn ar y dechrau. Mae gen i gof niwlog o fod yn rhywle arall cyn hynny, rhywle lle'r oedd rhywun arall yn golchi fy ngwallt ac yn fy rhoi yn fy ngwely yn y nos. Dwi'n cofio stafell orau oer lle nad oedd yr haul byth yn tywynnu am fod y llenni wastad ar gau. Dwi'n cofio eistedd yno ar gadair uchel. Doedd fy nhraed ddim yn cyffwrdd y llawr a chefais gerydd am gicio fy sodlau yn erbyn ei choesau sgleiniog. Dwi'n cofio disgyn am fod ci yn rhedeg ar fy ôl i a chael eli a phlastar ar y briwiau oedd ar fy mhengliniau. A dwi'n cofio'r car. Y car ddaeth i fy nôl i am y tro olaf a'r ddynes ifanc oedd yn eistedd hefo fi yn y cefn a botymau fel pethau-da mawr pinc ar du blaen ei ffrog hi. A dwi'n gwybod bryd hynny fy mod i'n bedair oed.

Dwi'n cofio gafael yn dynn yn nwrn y drws wrth fynd i mewn i'r adeilad a gwrthod yn lân â mynd dim pellach. Dwi'n cofio cegau lipstig yn dwrdio ac yn gwenu bob yn ail. A dwi'n cofio Myfanwy.

"Yli, tyrd i eistedd hefo Myfsi yn fa'ma am funud," meddai rhywun. Y geiriau 'am funud' wnaeth y tric. Doedden nhw ddim yn swnio fel pe baen nhw'n golygu y byddwn i yno'n hir.

Roedd Myfsi tua un ar ddeg oed, yn denau ac yn frown. Roedd ganddi wallt tenau, brown hefyd a gên fain. Pan fyddai hi'n gwenu roedd yna fwlch bach rhwng ei dannedd blaen hi.

"Be ydi dy enw di 'ta?"

"Ela."

"Ela, Ela, Ela." Swniai fel pe bai hi'n canu. Dechreuodd gribo fy ngwallt hefo'i bysedd a'i blethu dan hymian o dan ei gwynt o hyd. Tra oedd Myfsi'n plethu fy ngwallt diflannodd y ddynes botymau pinc. Ac felly y cefais fy ngadael yno, yn disgwyl bob awr, bob dydd, i rywun gofio fy mod i yno a dod i fy nôl.

Myfsi edrychodd ar fy ôl yn ystod y misoedd cyntaf hynny. Golchodd fy ngwallt a'i blethu neu ei adael yn rhydd, yn dibynnu sut roedd hi'n teimlo ar y pryd. Dwi'n meddwl bron iddi fy nhrin i fel dol fach. Yna, pan ddangosodd hi i mi un diwrnod sut i olchi fy ngwallt fy hun, gwyddwn ei bod hi'n dechrau colli amynedd a llaciodd ei gafael arna i. Erbyn hynny roeddwn i'n falch o gael torri'n rhydd. Roedd genod hŷn eraill yno i roi sylw i mi pan fyddai angen. Wrth lwc doeddwn i ddim isio gormod o sylw gan neb. Dyna'r adeg y cefais hyd i lyfrau go iawn. A dyna'r adeg y dechreuais i glywed sŵn y môr yn sibrwd yn fy mhen fel tylwythen deg yn anadlu.

Gan fy mod i'n fach, yn ciwt ac yn fengach na phawb arall chefais i mo fy mwlio na fy nhrin yn gas. Ond gwelais hynny'n digwydd weithiau i ambell un arall. Roedd hi fel bod mewn ysgol, dim ond nad oedd cloch yn canu am ugain munud wedi tri i adael i bobol fynd adra. Ac roedd yn rhaid dod i arfer â chysgu mewn llofft hefo pump gwely ynddi mewn rhes, a chwrlid yr un lliw ar bob un. Dod i arfer hefyd â sŵn y genod eraill yn anadlu, weithiau'n chwyrnu'n ysgafn fel moch bach. Dod i arfer â bwyta pob pryd bwyd wrth fwrdd mawr i wyth, a'r plentyn hynaf yn gyfrifol am rannu'r tatws a'r pys. Roeddwn i bob amser yn rhan o griw, byth ar fy mhen fy hun yn llwyr. On doedd hynny ddim yn golygu nad oedd rhywun yn gallu teimlo'n unig. Maen nhw'n dweud mai un o'r llefydd mwyaf unig ydi ynghanol torf. Mae hynny'n rhywbeth y galla i ddeall yn iawn.

Cefais fynd 'adra' yn y diwedd hefo Eurwyn a Catrin. Roedd hi'n rhyfedd i ddechrau, arfer hefo'r holl ryddid newydd. Dim ond y fi a nhw. Fy stafell wely fy hun. Rhyw ddiwrnod, er mor fodlon ydw i, dwi'n gwybod y bydda i'n gadael a ddo i ddim yn ôl. Mae 'adra' go iawn allan yn fan'na yn rhywle ac ym mêr fy esgyrn mi wn mai'r peth cyntaf wna i ydi mynd i chwilio amdano fo.

5

Mai 2012

Mae gen i arholiad AS ac mae'r tywydd yn braf. Dydw i ddim wedi 'studio digon. Dwi'n rhoi eliffant bach sydd wedi'i gerfio o garreg werdd yn fy mhoced. Lwc dda. Mae meddwl amdano fo'n gwneud i mi wenu. Beth fedar yr eliffant ei wneud i fy helpu i ddeall y papur Stats? Ond o leiaf fedar o ddim bod yn llai o help na'r athro Maths. Mae hwnnw'n anobeithiol. Diamynedd. Di-wên. Di-frên hefyd yn ôl y rhan fwyaf o'r dosbarth.

Beds roddodd yr eliffant i mi. Mae ei fam o'n credu mewn rhyw bethau fel'na. Crisialau ac ati. Dwi'n fêts hefo Bedwyr ers i mi ddod i'r ysgol yma. Mêts mêts, nid mêts cariadon. Dwi'n gallu siarad hefo fo. Wedi gallu gwneud o'r dechrau. Mae hi'n braf bod ar yr un donfedd â pherson arall. Mae ganddo yntau gitâr. Weithiau rydan ni'n cyfarfod yn nhai ein gilydd ac yn jamio. Sŵn drwg yn ôl Catrin. Rydan ni wedi sôn fwy nag unwaith am ffurfio band. Ond mae angen mwy na dau mewn band a does yna neb cweit yn deall y ffordd mae Beds a fi'n edrych ar bethau. Rydan ni o ddifri am y peth tra bod y lleill sydd wedi dangos diddordeb yn y gorffennol yn gwneud dim ond malu cachu a cholli amynedd ar ôl ychydig. Esgus i 'hongian allan' ydi o iddyn nhw. Nid dyna ydi o i ni. A dydi Beds na fi ddim angen esgus i dreulio amser hefo'n gilydd. Fel y dywedais i, dydyn nhw jyst ddim yn deall.

Mae Beds yn disgwyl amdana i tu allan i'r neuadd. Dydi o ddim yn gwneud Maths. Callach na fi.

"Paid â stresio," meddai. "Cŵl hed."

Mae fy mysedd i'n cau am yr eliffant bach llyfn sy'n oer yn fy mhoced. Dwi'n anadlu'n araf ac mae darlun o donnau'n chwalu ar draeth yn llenwi fy meddwl.

"Be ddudodd dy fam oedd y garreg 'ma eto?"

"*Aventurine*. Clirio'r meddwl."

Ond mae fy meddwl i'n glir. Mor glir fel nad oes yna ddim byd ynddo fo ac mae hyd yn oed y môr wedi mynd. Sgrin wag ydi o, fel cyfrifiadur wedi crasio. Ond dydw i ddim yn dweud hyn wrth Beds. Dwi'n mynd i mewn i'r arholiad ac mae rhywbeth rhyfedd yn digwydd. Mae'r llenni trwm yn gwarchod y neuadd fawr rhag unrhyw lwchyn o haul. Yn y distawrwydd rydw i'n anadlu'n esmwythach. Daw'r papur o fy mlaen ac mae hi fel pe bai fy enw i arno'n barod. Teimla fel pe bai'r inc o fy meiro'n llithro dros rywbeth oedd yno eisoes. Ela Parry. Bob tro dwi'n sgwennu fy enw mae'r gorffennol yn dychwelyd i fy mhigo i. Parry. Nid Pritchard, fel Eurwyn a Catrin a Siwan. Fy nheulu maeth i ydi'r rheiny. Hyd yn oed wrth dorri fy enw ar ddarn o bapur mae'r hen graith yn agor o hyd. Pwy ydw i?

Dydi'r papur Stats ddim yn teimlo'n anodd. Dwi'n gweld y cwestiynau o fy mlaen ac yn eu hateb nhw'n

oer, fel pe bawn i'n pydru trwy ddarn o waith cartref.
Dim stresio. Cŵl hed. Fedra i ddim aros i ddweud wrth
Beds fod yr eliffant gwyrdd wedi gwneud y tric.

"Sut aeth hi?" Eurwyn ydi'r cyntaf i ofyn pethau
fel hyn bob tro. Mae ots ganddo fo. Ydi, mae Catrin
yn ocê, ond mae gan Eurwyn ddiddordeb go iawn.
Efallai mai rhywbeth sy'n rhan naturiol o'i gymeriad
o ydi hynny am ei fod o'n athro'i hun.

"Iawn, dwi'n meddwl."

Mae Catrin yn gwenu 'da iawn' ac yna'n sbio ar
Eurwyn. Mae yna rywbeth yn bod. Mae hi'n pasio'r
dysglau bwyd o amgylch y bwrdd ac yn rhoi bwyd ar
blât Siwan. Mae popeth fel arfer ond mae rhywbeth
yn bod. Mae hi'n torri cig Siwan ond yn edrych i fyw
llygaid ei gŵr.

"Eurwyn?"

Mae o'n codi oddi wrth y bwrdd ac yn palfalu ar
gownter y gegin lle mae post y diwrnod hwnnw'n
dwmpath blêr. Daw yn ei ôl hefo llythyr yn ei law.

"I ni oedd o, dyna pam ei fod o wedi cael ei agor,"
eglura, bron yn ymddiheurol.

Mae yna ddynes wedi cysylltu ac mae hi isio fy
ngweld i.

"Pwy ydi Jean Parry?"

"Wel, dy nain," meddai Eurwyn, "mewn ffordd o
siarad."

"Be mae hynny'n ei feddwl?"

"Dyna mae hi isio'i egluro i ti."

Mae yna ias yn fy ngherdded ac wedyn dwi'n teimlo pang o ddicter. Os oes gen i nain, pam gadawodd hi i mi fynd i gartref plant? Ac at deulu maeth? Onid ydi teuluoedd i fod i edrych ar ôl ei gilydd? Mae nain Siwan yn ei haddoli hi. Pe bai unrhyw beth yn digwydd i Eurwyn a Catrin fyddai hi byth yn breuddwydio troi'i chefn ar Siwan. Mae hynny'n gwbwl amlwg o'r dechrau un. Sut fath o nain ydi hon sydd gen i felly? Mae'r sioc o glywed bod gen i unrhyw fath o nain wedi rhoi cryndod yn fy llais ac am ryw reswm mae gen i ofn dechrau crio.

Mae Catrin yn codi o'i chadair wrth y bwrdd ac yn dod i afael amdanaf i. Dwi'n clywed llais Siwan fel cloch fach swnllyd:

"Be sy'n bod ar Ela, Mam? Ela, wyt ti'n sâl? Ela, Ela, Ela."

Am unwaith mae Catrin yn anwybyddu ei merch ei hun. Dwi'n edrych arni trwy fy nagrau, yn falch o'i chael. Dwi'n sylweddoli go iawn pa mor dda mae hi wedi bod wrtha i ar hyd y blynyddoedd. Sylweddoli faint o feddwl sydd ganddi ohonof i go iawn, a faint o feddwl sydd gen innau ohoni hithau.

"Dwi ddim isio gweld y ddynes 'ma."

Mae arna i ofn, dwi'n crynu ac mae Catrin yn gafael yn fy llaw.

"Does dim rhaid i ti, 'mechan i," meddai. "Does dim rhaid i ti wneud unrhyw beth."

Mae hi'n siarad yn dyner, yn union fel bydd hi'n

siarad hefo Siwan a dwi'n cydio ynddi'n dynn fel pe bawn i ar fin boddi.

Eurwyn sy'n fy synnu. Eurwyn sydd bob amser ar fy ochr i.

"Na, does dim rhaid i ti, wrth gwrs." Mae mwy i ddod. Mae tôn ei lais o'n ein rhybuddio ni o hynny. "Does dim rhaid i ti wneud unrhyw beth, fel mae Catrin yn ei ddweud. Ond dwi'n meddwl y dylet ti, Ela."

Mae o'n dweud hyn i gyd yn ddistaw ac yn bwyllog. Yn siarad yn gall fel arfer. Dydw i ddim isio bod yn gall. Dwi isio gweiddi a sgrechian a lluchio pethau o gwmpas. Ond dydw i ddim. Dwi'n eistedd ac yn gwrando. Eurwyn sy'n iawn.

Gan y ddynes ddiarth bowld 'ma mae'r atebion i gyd.

6

Mehefin 2012

Mae hi'n ddydd Gwener ond does gen i ddim ysgol. Mae'r arholiadau drosodd ond does dim pwynt mynd yn ôl am un diwrnod. Dwi wedi trefnu i gyfarfod Jean Parry yn siop goffi'r oriel yn y dref. Lle neis. Parchus. Fan'no bydd Catrin yn cyfarfod ei ffrindiau am banad o goffi neu damaid o ginio posh, fel panini neu quiche.

Doeddwn i ddim isio'i chyfarfod hi yn y tŷ a doeddwn i ddim isio cwmni Catrin nac Eurwyn chwaith. Dyna pam y dewisais i ddiwrnod pan oedd y ddau ohonyn nhw'n gweithio. Rhywbeth i mi oedd hyn ac roedd yn rhaid i mi gael delio hefo fo yn fy ffordd fy hun.

Catrin drefnodd y cyfarfod. Roedd yna rif ffôn yn y llythyr. Doedd arna i ddim isio siarad bryd hynny. Dydw i ddim yn siŵr iawn a ydw i isio siarad heddiw chwaith. Ond mae fy chwilfrydedd yn drech na mi. Mae gen i gymaint o bethau i'w gofyn. Mae darn o fy ngorffennol ar goll yn rhywle a'r ddynes yma sy'n dal yr allwedd, gobeithio. Mae cymaint o emosiynau yn cwffio'n erbyn ei gilydd ac mae fy mhen i'n troi. Dwi'n hanner difaru na wnes i aros nes byddai Catrin wedi gallu dod hefyd. Mae'r lle coffi yn rhy grand i mi. Dydi o ddim yn berwi hefo pobol sydd wedi lliwio'u gwalltiau yr un coch â'r fan bost ac yn gwisgo stỳd yn eu trwynau. Dim ond fi sy'n edrych felly. Fydda i byth yn gwisgo'r stỳd i'r ysgol a rhywbeth diweddar ydi'r gwallt. Wel, diweddar iawn, a dweud y gwir. Roedd o'n goch cynt ond mae o wedi cael rhyw rins ychwanegol o liw ers i mi glywed am lythyr Jean. Ddywedodd Catrin nac Eurwyn ddim byd a wnaeth Siwan ddim byd ond chwerthin a fy nghymharu i i ryw gymeriad ar raglen plant bach. Dwi'n meddwl eu bod nhw'n deall pam y gwnes i o. Fy amddiffyn fy hun. Cael rhywbeth i guddio tu ôl iddo. Ac efallai, pe bawn i'n onest, rhywbeth i roi sioc i Jean Parry.

Mae o wedi gweithio hefyd. Mae'n amlwg nad oedd hi'n disgwyl hyn. Dwi'n wahanol. Yn tynnu sylw. Dydi pobol ddim yn gwybod beth wnaf i nesa, mae'n debyg. Dydw i ddim isio i Jean Parry deimlo'n gyfforddus. Pam dylwn i? Dwi'n gwthio'r drws gwydr trwm o fy mlaen ac mae fy stumog i'n corddi. Mae arogl cryf y coffi ffres yn fy nharo i fel dwrn wrth i mi gerdded i mewn.

Mae hi wedi cyrraedd o fy mlaen i. Jean Parry. Fy nain. Dim ond Jean Parry fedar hon fod. Mae hi'n eistedd ar ei phen ei hun ar fwrdd bach i ddau. Mae hi wedi dewis bwrdd hefo cadeiriau isel, cyfforddus yn hytrach na'r rhai arferol, uwch. Er mwyn creu awyrgylch ymlaciol, mae'n debyg. Fawr o obaith o hynny chwaith, y ffordd dwi'n teimlo. Hyd yn oed pe bai yna wely a chlustogau fedrwn i ddim ymlacio.

Mae hi'n troi ar ôl clywed y drws yn agor ac yn synhwyro fy mod i newydd gyrraedd yr un pryd â'r chwa o awyr oer sy'n fy nghanlyn. Dydw i mo'r hyn mae hi wedi'i ddisgwyl ond mae hi'n gwneud ei gorau i guddio'r sioc, y dychryn a'r siom sy'n llen ar draws ei llygaid. Dwi'n cael ias o bleser wrth feddwl hyn. Fi sy'n rheoli.

Ela – un; Jean Parry – dim.

Mae hi'n codi ar ei thraed, yn boléit i gyd. Rydan ni fel dwy aelod o Ferched y Wawr.

"Ela? Jean dwi." Ac mae hi'n estyn ei llaw, sy'n oer a bach a gwyn a llipa yn fy llaw i.

Mae hi'n ddynes eithaf swil ac mae hynny'n fy synnu i. Dwi innau wedi cael sioc hefyd. Roeddwn i'n disgwyl rhywun talach, mwy hyderus. Ond dydi hi ddim felly. Mae hi'n eiddil, a'i gwallt brith wedi'i gribo mewn steil bòb bach digon disylw. Does ganddi ddim colur ar wahân i lyfiad o lipstig rhy binc sy'n gwneud i weddill ei hwyneb ymddangos yn fwy gwelw. Dwi'n cribinio hwnnw hefo fy llygaid er mwyn cael hyd i unrhyw beth sydd yn debyg rhyngon ni – siâp trwyn, esgyrn bochau, gwefusau, gên. Ond does yna ddim byd. Dydan ni ddim yn debyg o gwbwl. Ac o'r eiliadau cyntaf dwi'n sylweddoli, cyn iddi ddweud dim, egluro dim, nad ydan ni'n perthyn yr un diferyn o waed. Nid fy nain iawn i ydi hon.

"Coffi? Neu rywbeth oer? Oren?"

Does ganddi ddim syniad. Nid saith oed fel Siwan ydw i, hefo'i 'rhywbeth oer'.

"Coffi, plis. Du."

Dydw i byth yn yfed coffi du a dwi'n siŵr y bydd o'n afiach heb na llefrith na siwgwr ond mi faswn i'n yfed hylif glanhau toiled pe bawn i'n meddwl y byddai'n taflu hon oddi ar ei hechel. Mae hi'n fach, yn swil ac yn eiddil ond does gen i ddim cydymdeimlad hefo hi. Mae rhywun yn fach, swil ac eiddil yn bedair oed hefyd, ond wnaeth hynny ddim stopio hon fy rhoi i mewn cartref plant, naddo? Mae'r blas chwerw yng nghefn fy ngwddw i'n cael ei fygu gan y coffi du a dwi'n gwneud fy ngorau glas i beidio tynnu stumiau wrth drio'i yfed o. Latte llaethog golau mewn cwpan gwydrog hir sydd ganddi hi. Mi rown i unrhyw beth i chwythu cegiad o'r hylif trioglyd ffiaidd 'ma sydd gen i drosti hi a'i siaced lliw hufen ond wna i ddim. Cachwr dw innau hefyd yn y bôn.

"Mae'n siŵr fod gynnoch chi lot o bethau i'w gofyn, Ela."

Mae hi'n fy ngalw i'n 'chi'. Mwy fyth o bellter rhyngon ni. Fel pe na baen ni'n ddigon diarth i'n gilydd yn barod.

"Pam ddaru chi fy rhoi i i ffwrdd?"

Dim lol, dim ond ei hitio hi rhwng ei llygaid hefo'r cwestiwn cyntaf, pwysicaf, creulonaf. Yr unig un sydd wedi cyfri go iawn erioed. Pam nad oeddech chi isio fy nghadw i?

Mae'i hwyneb hi'n crebachu fel rhywun yn gwasgu hances bapur. Mae hi isio crio ond yn dal rhag gwneud a dwi'n teimlo'n annifyr, yn chwithig, yn cwffio yn erbyn teimlo unrhyw fath o bechod drosti.

"Eich mam," meddai o'r diwedd, a gwthio llun du a gwyn ar draws y bwrdd i fy nghyfeiriad i. "Yvonne.

Y ferch y gwnes i a fy ngŵr ei mabwysiadu. Merch Yvonne ydach chi."

Wrth edrych ar y llun mi wn fy mod yn ei hadnabod. Gwn fy mod wedi cael fy magu yn ei breichiau. Gwelaf y llygaid tywyll a'r ên fain a'u cofio. Gan mai llun du a gwyn oedd o, dydi lliw ei llygaid ddim yn amlwg.

"Pa liw llygaid oedd ganddi?"

"Gwyrdd a glas. Ia, gwyrddlas. Dipyn o'r ddau. Roedd ganddi lygaid tlws. Anghyffredin."

Dwi'n teimlo tristwch rhyfedd oherwydd nad ydi fy llygaid i'r un lliw â'i rhai hi. Byddai hynny wedi'n clymu ni. Ein gwneud ni'n perthyn yn syth. Wedyn dwi'n sylweddoli'r hyn mae Jean newydd ei ddweud. 'Roedd ganddi'. Mae rhywbeth yn pwyso'n drwm ym mhwll fy stumog. Mae Yvonne wedi marw. Mae hi'n darllen fy meddwl ac yn ysgwyd ei phen.

"Cyffuriau," meddai'n isel. "Heroin. Dyna wnaeth ei lladd hi. Gwastraff o fywyd. Roeddech chi'n dair oed."

"Faint oedd ei hoed hi?"

"Ugain."

Gwnaf fy symiau'n sydyn. Roedd Yvonne, fy mam, yr un oed ag ydw i rŵan yn fy nghael i felly. Mae Jean yn rhag-weld fy nghwestiwn nesaf eto.

"Roedd hi yn y Chweched Dosbarth ar y pryd. Aeth i ddisgwyl babi. Difetha popeth."

Mae'n rhaid nad ydi hi'n sylweddoli faint mae hyn yn fy mrifo i. Mae camgymeriad Yvonne, yr un a ddifethodd bopeth iddi, yn eistedd o'i blaen hi. Dwi'n aros iddi weld ei bod wedi rhoi'i throed ynddi ac ymddiheuro ond dydi hi ddim. Mae gen innau awydd rŵan i drio'i brifo'n ôl. I ddangos i Jean nad ydi hi'n ddim byd i mi.

"Felly, dydach chi'n perthyn dim i mi, nac 'dach? Ddim mwy nag oeddech chi'n perthyn gwaed i Yvonne?"

Mae'r ergyd yma'n cyrraedd ei nod ac mae deigryn mawr yn llithro o gornel ei llygaid.

"Roedd gen i feddwl y byd o Yvonne fach," meddai. "Mi gafodd hi bopeth gan Owen a fi."

Fel fflach sydyn o'r gorffennol dwi'n cofio horwth o ddyn mawr tal, pryd tywyll. Dwi'n cofio llais fel taran, llaw sydyn yn estyn allan a llwyaid o bys yn diferu dros liain bwrdd glân. Cofio sgrechian. Cofio bod arna i ei ofn o.

"Owen ydi'ch gŵr chi 'ta?"

Fedrwn i byth gyfeirio ato fel 'taid', dim mwy nag y medrwn i alw hon yn 'nain'.

"Oedd fy ngŵr i. Mi fu farw ddechrau'r flwyddyn o drawiad ar ei galon." Ond does yna'r un deigryn yn dod wrth iddi ddweud hyn chwaith. "Dyna pam dwi wedi dod i chwilio amdanoch chi, Ela. Doedd fiw i mi sôn am Yvonne nac amdanoch chitha tra oedd o'n fyw. Roedd Yvonne wedi'i siomi o, dach chi'n gweld. Fwy nag unwaith. Y babi a wedyn y cyffuriau. Fedra fo gymryd dim mwy."

Am yr eildro mae hi'n cyfeirio at fabi Yvonne fel pe na bai hynny'n ddim oll i'w wneud â fi. Mae hi fel pe bai hi'n siarad â rhywun heb unrhyw gysylltiad. Dwi'n penderfynu dweud rhywbeth.

"Ydw i mor ddiarth â hynny i chi?"

"Be...?"

"Y babi. Y cywilydd. Y mistêc. Fi ydi hwnnw. Sut dach chi'n meddwl bod hyn yn gwneud i mi deimlo?"

Wedyn dwi'n difaru. Dydw i ddim isio dangos fy nheimladau i hon, dangos gwendid. Ond Jean sy'n dioddef fwyaf rŵan. Mae hi'n tyllu yn ei handbag am rywbeth i chwythu ei thrwyn ynddo. Dwi'n tynnu tishw glân o boced fy siaced a'i estyn iddi. Fi sy'n rheoli o hyd ac mae hynny'n bwysig. Mae hi'n sniffian yn swnllyd i'r hancces bapur a dwi'n troi fy mhen.

"Roedd arna i isio'ch cadw chi," meddai'n sydyn. "Ar ôl i ni golli Yvonne." Dwi'n falch mewn ffordd od na ddefnyddiodd hi'r gair 'marw'. "Wel, dyna'r peth naturiol i'w wneud, 'te? Roeddech chi'n wyres i mi..."

... er gwaetha'r ffaith nad oeddech chi'n perthyn dim i mi. Dwi'n gorffen ei brawddeg yn fy mhen. Mae hi'n crio eto a'r tishw'n dechrau chwalu'n ddarnau. Pam nad ydw i'n crio? Ydw i mor galed a dideimlad â hynny? Dwi'n codi, nôl dwy baned arall. Y tro yma dwi'n cymryd coffi gwyn, normal. Dydi lliw'r ddiod dwi'n ei hyfed yn cyfri dim bellach. Pan ddof yn ôl at y bwrdd mae hi'n well, yn dawelach. Yn mentro gwenu arna i. Dim iws iddi chwaith. Fyddan ni byth yn ffrindiau.

"Owen wnaeth y penderfyniad," meddai Jean yn araf. "Fo ddywedodd nad ein cyfrifoldeb ni oeddech chi. A wedyn pan ddaeth y newydd fod yn rhaid iddo gael llawdriniaeth fawr ar ei galon – *by-pass* – wel, mi fu'n wael am fisoedd lawer, roeddwn inna'n gorfod tendiad arno fo a…"

Teimlaf embaras llwyr wrth wrando arni'n hel esgusion. Rhoddodd hi fi i ffwrdd a rŵan, ar ôl yr holl flynyddoedd, mae hi'n gofyn am gael fy ngweld i. Pam? I ddweud hyn? I glirio'i chydwybod? Felly dwi'n gofyn iddi. Dyna pam rydan ni'n cyfarfod, yntê? I holi a stilio? Felly dwi'n gwneud.

"Dyna pam ofynnoch chi am gael fy ngweld i? Er mwyn gwneud i chi'ch hun deimlo'n well?"

Er fy syndod, dydi hi ddim yn gwadu hynny'n llwyr.

"Ia, yn rhannol. Dwi wedi teimlo'n ofnadwy o euog ar hyd y blynyddoedd. Does gynnoch chi'm syniad…"

Ond mae gen i syniad beth ydi teimlo nad oes neb eich isio chi. Beth ydi cael eich gwrthod. Mae Jean yn mynd yn ei blaen.

"Roedd Owen yn wael gen i. Wnaeth Yvonne ddim helpu. Mynd oddi ar y rêls fel gwnaeth hi." Dwi'n brathu fy nhafod. "Nid bod o'n eich beio chi, wrth gwrs. Ond doedden ni ddim mewn sefyllfa i edrych ar eich ôl chi. Rhaid i chi weld hynny."

"Ond wnaethoch chi erioed gadw mewn cysylltiad.

Dim cerdyn, dim ymweliad, dim byd." Mae hi'n edrych yn anghysurus felly dwi'n pydru ymlaen: "Doeddwn i ddim yn anhapus yn y cartref ond wnes i erioed ddeall beth oeddwn i wedi'i wneud oedd mor ofnadwy nad oeddech chi ddim isio fy ngweld i byth wedyn!"

"Dwi ddim yn disgwyl i chi faddau i mi, Ela. Mi fues inna'n wan, gwrthod mynd yn groes i Owen am nifer o resymau ac ydw, dwi'n difaru erbyn heddiw. Ond chawn ni mo'r gorffennol yn ôl. Yr unig beth fedra i ei wneud ydi ymddiheuro ac efallai eich helpu i roi'r darnau, neu rai ohonyn nhw, yn eu lle."

"Pa ddarnau?"

"Eich hanes chi, Ela. Mae gan bob un ohonon ni'r hawl i hwnnw, yn does?"

"Dwi ddim yn siŵr be…"

"Byddai'n amhosib i mi rŵan wybod sut na lle i ddechrau olrhain hanes teulu'ch mam ond efallai y medra i daflu ychydig o oleuni ar yr ochr arall."

"Dwi ddim yn deall."

"Eich tad, Ela."

Mae fy mhen i'n dechrau troi. Fy nhad? Mae gen i dad biolegol allan yn fan'na yn rhywle ac ydw, dwi wedi hel meddyliau am hynny sawl gwaith. Ond cael hyd iddo? Mae hyn yn rhy fawr, yn ormod. Mae sŵn y siop goffi a'r lleisiau a'r clindarddach llestri yn nofio tuag ata i ac oddi wrtha i bob yn ail fel tonnau môr. Mae gen i ddarn o bapur yn fy llaw hefo enw a

chyfeiriad arno a rŵan mae'r dagrau'n rhedeg i lawr
fy mochau innau, yn fawr a hallt a chrwn a does dim
y medraf ei wneud i'w dal nhw'n ôl.

7

Wrth Beds dwi'n dweud yn gyntaf. Mae hi'n haws siarad hefo fo nag hefo unrhyw un arall.

"Felly, mi oedd dy nain yn gwbod drwy'r adeg pwy oedd dy dad?"

"Dydi hi ddim yn nain i mi, Beds."

"Wel, Jean 'ta. Ti'n gwbod be dwi'n feddwl."

"Ydw. Mae hi'n haws meddwl amdani fel Jean. Na, sti, doedd hi ddim yn gwybod tan yn ddiweddar. Cael hyd i bethau Yvonne wrth glirio'r atig. Hen ddyddiadur wedi mynd i ganol hen lyfrau ysgol a neb yn sylwi ar y pryd. Fawr ddim o bwys ynddo fo nes cafodd Jean hyd i'r darn oedd yn cyfeirio at fy nhad. Wnaeth Yvonne erioed gyfaddef pwy oedd o, ti'n gweld."

Dwi'n cael trafferth galw Yvonne yn 'Mam' hefyd. Am na fedrwn ei chofio hi'n bod yn fam i mi, mae'n debyg. Rhyw fflachiadau dwi'n eu cael, lluniau niwlog pell nad ydyn nhw ddim hyd yn oed yn atgofion. Yn union fel pe bawn i wedi colli fy nghof a hwnnw'n dod yn ôl weithiau yn bytiau bach disynnwyr.

"Gest ti hanes dy dad gan Jean, felly? Oedd o'n ddisgybl yn y Chweched ar y pryd, ta be?"

"Dwi'm yn gwbod. Os oedd Jean yn gwbod, wnaeth hi ddim cyfaddef. Mi ges i'r teimlad ei bod hi'n dal rhywbeth yn ôl."

"Ond mi gest ti enw a chyfeiriad ganddi?"

"Do." Dwi'n dangos y darn papur iddo. Cyfeiriad a yrrodd ias i lawr fy asgwrn cefn. Mae'r papur yn sgwariau i gyd lle cafodd o'i blygu. Darn bach disylw o bapur allai newid fy mywyd i. Mae arna i ofn. Dwi bron â'i rwygo fo'n ddarnau. Dwi ddim yn gwybod beth i'w wneud hefo'r wybodaeth newydd, frawychus yma.

"Rhaid i ti ofyn i Eurwyn, yn bydd?"

Dyna'r peth amlwg i'w wneud. Y peth dylwn i ei wneud. Ond mae hyn yn pwyso arna i fel cyfrinach. Yn sydyn, dwi'n sylweddoli nad ydw i isio gadael diogelwch cartref Eurwyn a Catrin. Dwi'n sylwi faint yn union maen nhw'n ei olygu i mi. Dwi'n eu caru nhw. A dwi'n credu eu bod nhw'n fy ngharu i. Wedi'r cwbwl, ddaru nhw ddim fy rhoi i'n ôl i'r cartref pan aeth pethau'n anodd, naddo? Dwi ddim wedi bod yn blentyn hawdd iddyn nhw. Yn arddegyn heb broblemau. Duw a ŵyr, maen nhw wedi cael mwy na'u siâr o grafu pen ac o nosweithiau di-gwsg hefo fi. Fy meichiogrwydd. Dydi hyd yn oed Beds ddim yn gwybod y gyfrinach honno. Dwi'n fy nheimlo fy hun yn gwrido wrth feddwl am hynny ac yn troi fy mhen rhag i Beds sylwi. Rêl Yvonne. Rêl fy mam. Hanes yn ei ailadrodd ei hun. Roedd Yvonne wedi bod yn dipyn o lond llaw felly, yn doedd, yn ôl yr hyn a ddywedodd Jean. Yn ormod o gowlaid iddi hi ac Owen yn y diwedd. Dwi'n cywilyddio wrth feddwl mai person felly fues innau ar hyd y blynyddoedd.

"Ti'n ddistaw iawn."

"Jyst meddwl dwi."

Mae Beds yn deall, yn gwasgu f'ysgwydd i.

"Ti isio sesiwn jamio? Mynd â dy feddwl di?"

Mae o'n meddwl amdana i, yn gwybod beth sy'n arfer codi fy nghalon. Ond fydd hyd yn oed fy ngitâr ddim yn ddigon i fy ysgwyd i o'r felan sydd wedi glanio arna i heddiw.

"Dwi'n meddwl mai bod ar fy mhen fy hun fasa orau i mi am dipyn, sti. Sbês. Trio cael fy mhen rownd petha."

Dyna sy'n bril am Beds. Dydi o byth yn pwdu. Byth yn cymryd petha'r ffordd rong. Mae gen i feddwl y byd ohono fo, ond rŵan mae'n rhaid i mi gael llonydd i bendroni ynglŷn â phethau. Ydw i'n mynd i ddweud popeth wrth Eurwyn a Catrin? Dyna'r peth rhesymol. Y peth callaf. Ond beth sydd yn gall ynglŷn â hyn i gyd? A beth os oes rhywun allan yn fan'na, rhiant nad ydi o'n gwybod dim am fy modolaeth i, yn mynnu ei hawliau ac yn fy nhynnu i o'r unig gartref ges i erioed? Neu waeth. Efallai na fydd arno isio gwybod, ddim isio fy nabod i. Fasa hynny'n brifo mwy? Cael fy ngwrthod eto. Fasa ots gen i? Mae gen i fy nheulu, yn does, y bobol ddaru edrych ar fy ôl i ers pan oeddwn i'n saith? Beth amdanyn nhw? A beth amdana innau? Onid ydi hi'n ddyletswydd arna i i wybod yn iawn pwy ydw i? Onid dyna ydw i wedi bod ei isio erioed?

Pan ddaw Eurwyn a Catrin adra dydw i'n sôn dim am gyfeiriad fy nhad. Dwi'n dweud popeth arall, egluro'n fanwl sut roedd Jean wedi ymddwyn tuag ata i. Dwi'n disgrifio'r dagrau, yr euogrwydd ac yn gwylio'u llygaid hwythau'n llenwi. Drosta i maen nhw'n teimlo, dwi'n gwybod, a dwi'n fwy euog wrth ddal y wybodaeth arall yma'n ôl.

Rydan ni'n cael noson braf fel teulu, barbeciw yn yr ardd i swper am fod y tywydd yn anghyffredin o braf. Gêm o dennis hefo Siwan a gadael iddi ennill. Rhannu potelaid o win hefo Eurwyn a Catrin. Teimlo fel merch. Fel chwaer fawr. Teimlo'n rhan o deulu. Deffro yng nghanol y nos wedi bod yn breuddwydio. Dwi'n anadlu'n drwm fel pe bawn i wedi bod yn rhedeg. Dwi'n meddwl fy mod i'n clywed sŵn y tonnau eto, sŵn y môr ac yn meddwl efallai fy mod i mewn cwch. Teimlo'r awel ar fy wyneb a sylweddoli mai ffenest y llofft sy'n llydan agored a noson drymaidd gynnau wedi troi'n gynnwrf cyn terfysg.

Dwi'n codi i gau'r ffenest a gallaf synhwyro storm yn y pellter. Wedyn dwi'n byseddu drwy'r amlen roddodd Jean i mi cyn iddi fynd. Does fawr ddim ynddi: y llun du a gwyn o Yvonne, llun ohonof i'n flwydd oed sydd yn graciau i gyd ac mae'n anodd gweld fy wyneb i'n glir. Fe allai fod yn llun o unrhyw blentyn yn ystod y cyfnod hwnnw. A'r dyddiadur. Roeddwn i'n ymwybodol ei fod o yn yr amlen ond dydw i ddim wedi meiddio edrych arno tan rŵan. Mae o fel bom heb ffrwydro ac mae gen i ofn yr hyn fydd ynddo fo.

Rywsut, rŵan, yn yr hanner tywyllwch, a dim ond golau'r lamp bach ar y bwrdd wrth ymyl y gwely'n lluchio cysgod melyn dros y stafell, mae gen i fwy o awydd, na, mwy o hyder i ddechrau darllen. Mae ganddi lawysgrifen daclus, blentynnaidd, a'r llythrennau'n wastad ac yn grwn. Does ganddi fawr ddim i'w ddweud, dim ond manylion am waith cartref, athrawon, ffrindiau ysgol yn cael gwneud eu gwalltiau ac ati. Wedyn, tua diwedd y dyddiadur mae pethau'n newid. Mae tôn ei brawddegau'n fwy cyfrinachol, bron fel pe bai hi'n sgwennu mewn côd. Mae hi'n sôn am H. Mae H yn gês, yn hwyl, ac yn ôl Yvonne, mae'r ysgol yn brafiach lle rŵan bod H wedi cyrraedd. Dwi'n meddwl amdani'n ddwy ar bymtheg oed a'r hogyn newydd cyffrous 'ma'n cyrraedd, yn ymuno â'r dosbarthiadau Lefel A ac yn dod â chyffro a rhamant i'w bywyd hi.

Yn rhyfedd iawn, does yna fawr o sôn am y garwriaeth, dim ond brawddegau cryptig am H yn dweud hyn neu'n gwneud y llall ond dydyn nhw ddim yn gwneud llawer o synnwyr. Mae hi'n amlwg nad oedd Yvonne isio i neb wybod pwy oedd H na pha mor agos oedd y berthynas rhyngddyn nhw. Mae yna gyfeiriad at Rywbeth Sydd Wedi Digwydd a llythrennau breision ar ddechrau pob gair. Wedyn daw'r frawddeg arall sy'n llawn dirgelwch: Fiw dweud wrth H – gorau po leiaf o bobl sy'n gwybod.

Rhywbeth Sydd Wedi Digwydd. Ai fi oedd hi'n ei feddwl? Beichiogi? Ai fi oedd y Rhywbeth hwnnw? Byddai hynny'n gwneud synnwyr. A hithau ddim isio dweud wrth y tad. Wrth H. Fy nhad i. Am yr ugeinfed tro neu fwy wrth ddarllen hwn, mae ias yn fy ngherdded. Does fawr ddim arall yn y dyddiadur wedyn. Fel pe bai'r hyn sydd wedi digwydd i Yvonne yn bwysicach na dal ati hefo unrhyw fath o gofnod. Cyn i mi gau cloriau bratiog yr hen ddyddiadur mae rhywbeth yn tynnu fy sylw. Rhywbeth melynfrown rhwng y dudalen olaf a'r clawr. Amlen. Enw Yvonne sydd ar y tu blaen. Does dim cyfeiriad. Fel pe bai rhywun wedi anfon y llythyr yn bersonol. I'r ysgol efallai rhag i'w rhieni weld? Dwi'n hel pob math o feddyliau cyn i mi hyd yn oed agor yr amlen.

Mae o'n fwy o nodyn nac o lythyr, a'r papur, fel yr amlen, wedi melynu:

Annwyl Yvonne,

Does gen i ddim syniad pam wyt ti'n ymddwyn fel hyn. Dim ffrae na dim ac eto rwyt ti'n gwrthod fy ngweld heb unrhyw reswm. Un funud mae popeth yn iawn a'r funud nesaf mae pethau'n newid rhyngon ni. Rwyt ti'n gwybod bod gen i feddwl y byd ohonot ti ac roeddwn innau'n meddwl dy fod yn teimlo'r un fath.

Dydw i ddim isio i ni wahanu fel hyn, yn enwedig a minnau'n gorfod mynd. Cysyllta, plis.

Yn annwyl,

Huw.

Ac wrth gwrs, ar dop y llythyr mae cyfeiriad – Môr Awel, Moelfre, Môn. Yr un cyfeiriad â hwnnw sydd ar y papur roddodd Jean i mi. Ai yma y gwelodd hithau hyn? Yr un cyfeiriad ers dwy flynedd ar bymtheg? Does bosib fod yr Huw 'ma (fy nhad) yn dal i fyw yn yr un lle? Moelfre. Y lle yn y llyfr. Lle'r aeth y llong enwog honno i'w thranc ar y creigiau. Cyd-ddigwyddiad sy'n gwneud i mi deimlo'n anesmwyth. Dwi'n gwybod mai dyma'r cyfan ydi o. Andros o gyd-ddigwyddiad a finna hefo gormod o ddychymyg bob amser. Dwi'n rhoi popeth yn ei ôl yn yr amlen a stwffio'r cyfan i gefn y drôr yn y *dressing table* bychan. Mae pethau fel hyn yn digwydd i gymeriadau mewn llyfrau. Teuluoedd coll yn dod i'r fei wedi blynyddoedd maith a llythyrau dirgel mewn dyddiaduron. Ond nid llyfr ydi hyn. Mae hyn yn digwydd i mi.

Yn ôl o dan y dillad gwely dwi'n gorwedd yn effro, yn aros nes clywaf rwndi pell yn yr awyr. Ymhen hir a hwyr mae'r byd fel pe bai'n torri'n ddarnau, fel pe bai'r awyr ei hun wedi'i hadeiladu o drawstiau derw. Mae'r darnau'n disgyn, yn tabyrddu a diflannu ac wrth i'r aer yn fy llofft ysgafnhau a chodi, dw inna'n cysgu.

8

Hydref 2012

Weithiau, os nad ydi pobol yn fodlon derbyn rhywbeth, yn gwrthod wynebu rhywbeth, maen nhw'n ei gladdu yng nghefn eu meddyliau, tydyn? Yn anghofio'i fod o wedi digwydd o gwbwl. Felly dwi wedi'i wneud hefo dyddiadur Yvonne ac enw a chyfeiriad fy nhad. Dydw i ddim wedi sôn wrth neb. Dwi wedi llwyddo i fynd am wythnosau heb gydnabod bod gen i dasg anodd mae'n rhaid ei hwynebu. Ond nid rŵan. Ddim am dipyn, beth bynnag.

Mae yna reswm am hyn. Mae rhyw dda yn dod o bob drwg. Ar ôl fy nghyfarfyddiad â Jean mi newidiodd pethau er gwell rhyngof i a fy nheulu maeth. Dydw i ddim yn meddwl, i fod yn deg, mai nhw sydd wedi newid. Fi sydd wedi sylweddoli pa mor ddall dwi wedi bod ar hyd y blynyddoedd. Wedi sylweddoli pa mor lwcus ydw i. Pa mor hapus ydw i. A wneith hyn ddim para am byth. Dwi'n ddeunaw oed ymhen ychydig fisoedd. Fydda i ddim yn gyfrifoldeb ar Eurwyn a Catrin wedyn. Dwi ddim yn meddwl am eiliad y byddan nhw'n pacio fy nghês i nac yn fy hel i i ffwrdd y munud y bydda i wedi chwythu'r canhwyllau ar fy nghacen ben-blwydd ond mi fydd rhywbeth bach yn newid. A than hynny dwi isio trio cadw'r uned sydd gen i yn union fel mae hi cyn hired ag y medra i.

Cafodd Beds gariad yn ystod gwyliau'r haf. Ddylai

hynny ddim fod wedi effeithio arna i, ond mae o wedi gwneud, a fedra i mo'i esbonio fo. Efallai fod gen i deimladau dyfnach tuag ato fo nag oeddwn i'n ei feddwl. Wn i ddim, ond er ei fod o'n taeru na wneith hyn ddim gwahaniaeth i ni, dwi'n teimlo fel pe bawn i wedi colli ffrind. Mae'r dyddiau'n toddi'n wythnosau ac mae'n hanner tymor yn barod. Mae Eurwyn, Catrin a Siwan yn mynd am wythnos o wyliau mewn carafán i drio dal eu gafael yn y mymryn fydd yn weddill o'r tywydd braf. Ac er yr holl fondio dwi wedi'i wneud hefo'r tri ohonyn nhw dros yr haf, mae'n beryg y byddai bod yn styc hefo nhw mewn carafán ar y pnawniau glawog sy'n sicr o ddod dros wythnos hanner tymor yn dadwneud y cyfan. Dwi'n aros adra. *Home alone* ac am unwaith yn edrych ymlaen. Mae hyd yn oed Dingo'r ci wedi cael ei lusgo hefo nhw.

Mae Beds hefo Louise. Mae un o'r tannau wedi torri ar y gitâr. Docs gen i ddim awydd bwrw iddi hefo fy mhrosiect Lefel A, ddim a phawb arall allan yn mwynhau. Dydi Dingo ddim yma i mi ei lusgo fo allan am dro. Dwi'n penderfynu clirio drôr fy nresing têbl. Dwi'n difaru. Achos dwi'n cael hyd i'r darn papur hefo enw fy nhad arno a'r tro hwn alla i mo'i anwybyddu. Mae'r eliffant lwc dda gwyrdd yno hefyd. Ydi hynny'n arwydd?

Dydi'r lle ddim ymhell. Tri chwarter awr ar y bws. Mae'n fy nharo i na fu'r lle erioed ymhell. Byddai Eurwyn wedi gallu fy nanfon i yno mewn llai o amser na hynny. Fi wrthododd feddwl am fodolaeth y lle.

Tan rŵan. Tan heddiw. Heddiw ydi'r amser. Does dim troi'n ôl. Mae'r bws yn hwyr ac yn hanner llawn. Dwi'n dechra jibio. Mae'r dreifar yn gweiddi arna i trwy ddrws agored y bws:

"Wel? Ti'n dŵad, ta be?"

Mae yna frath bach ar yr awel. Mae hi'n braf ac eto mae'r flwyddyn fel hen wraig yn cuddio tu ôl i ormod o golur. Mae rhywbeth ym mhwll fy stumog i. Does dim rhaid i mi siarad hefo neb, nac oes? Mi fedra i jyst mynd yno i'r pentref, efallai chwilio am y tŷ. Bodloni fy chwilfrydedd ac yna mynd. Wedi'r cwbwl, dydi hi ddim fel pe bai unrhyw un yn fy nisgwyl i.

Mae'r bws yn gwagio fesul milltir. Yn y diwedd, dim ond dwy ohonon ni sydd ar ôl. Mae'r wraig ganol oed yn troi yn ei sedd ac yn dweud:

"Dim ond chi a fi rŵan. A dwi'n mynd i lawr yn fa'ma. Traeth Coch. Dach chi'n mynd yn bellach na fi, mae'n rhaid."

Mae hynny'n amlwg. Busnesa mae hi. Beth fyddai hi'n ei ddweud, tybed, pe bawn i'n dweud y gwir wrthi? Dwi'n picio i Foelfre i edrych am fy nhad. A bod yn onest, dydw i erioed wedi'i gyfarfod o, a wyddwn i ddim am ei fodolaeth tan ychydig fisoedd yn ôl. Mi aeth fy mam i drwbwl bron i ddeunaw mlynedd yn ôl a hithau'n dal yn y Chweched Dosbarth. Na, dydi'r gwir ddim yn syniad da bob amser.

Mae sgwâr y pentref yn hollol wag. Does yna ddim bws yn ôl am o leiaf awr a hanner. Dwi bron â neidio'n ôl ar yr un bws a'i g'leuo hi. Beth ddaeth dros fy mhen i? Dwi'n dal i wisgo sandalau hafaidd er ei bod hi'n fis Hydref ac mae bodiau fy nhraed i'n oer. Mae hi'n oerach yma nag ydi hi adra. Gwynt o'r môr. Dwi'n arogli hwnnw'n barod, fel pe bai rhywun wedi dowcio'r awel mewn dŵr oer a'i orchuddio mewn halen. Mae o'n od o gyfarwydd a fedra i ddim egluro pam. Mae yna griw o blant hefo beics yn y pellter, yn dod i fyny o gyfeiriad glan y môr. Dwi'n estyn y papur o boced tin fy jîns. Mae yna fwy o sgwariau a rhychau nag erioed ynddo fo a phrin medra i ddarllen y geiriau. Nid fod angen i mi edrych arno fo. Mae'r geiriau wedi'u printio ar dudalen yn fy nghof ers wythnosau. Anghofia i fyth mohonyn nhw rŵan.

Môr Awel. Dyna ydi enw'r tŷ. Dyna ddylai enw pob tŷ fod yn y fan hyn oherwydd dyna'r unig beth sydd yma. Awel o'r môr. Mae hyn yn wallgof, yn lloerig. Be dwi'n ei wneud yma ar fy mhen fy hun? Dwi wedi gadael i fy nychymyg gwyllt, gwirion fy nhrechu. Nid cymeriad mewn nofel ydw i! Mae gen i hiraeth am gwmni cyfrifol, call Catrin ac Eurwyn. Dwi allan o fy nyfnder a fedra i ddim troi yn ôl.

"Ydach chi ar goll, 'mechan i?"

Mae o'n hen ac yn pwyso ar ei ffon a does ganddo'r un daint yn ei ben. Ond mae'i lygaid o fel llygaid deryn, yn dywyll ac yn dawnsio.

"Fedrwch chi ddeud wrtha i lle mae Môr Awel?"

"Môr Awel, ddudsoch chi? Wel, medra debyg. A finna wedi byw yma ar hyd f'oes. Mi fasai'n arw o beth taswn i ddim yn gwbod lle oedd fan'no, yn basa?"

Dydw i ddim mewn hwyliau i swcro'r hen ŵr, er ei fod o'n trio bod yn glên. Ond clên neu beidio, rwdlian mae o a does gen i ddim mynadd.

"Wel? Fedrwch chi ddeud wrtha i 'ta, plis?"

Dwi'n gwybod fy mod i'n swnio'n swta ond dwi jyst isio cyfarwyddiadau. Jyst isio mynd oddi wrtho fo, oddi wrth unrhyw un sy'n debygol o holi a sbio'n hurt arna i. Mae o'n dangos y ffordd hefo'i ffon a dwi'n dilyn llwybr y traeth, i fyny, ar draws, a sylweddoli fy mod i'n dringo'n uwch ac yn uwch ac mae fy anadl i'n herciog. Mae'r gwynt yn chwipio'r môr yn bigau fel gwynnwy mewn meráng. Dydi o ddim yn edrych yn fôr croesawus iawn, er ei fod o'n las.

Ac yna dwi'n ei weld o. Honglad o dŷ hen ffasiwn yn dechrau mynd â'i ben iddo. Dwi'n edrych ar y ffenestri di-wydr-dwbwl, yn eu dychmygu nhw'n cael eu sgytio yn eu fframiau coed fel llond ceg o ddannedd rhydd. Mae'r ardd ffrynt yn llawn coediach garw nad ydyn nhw'n blodeuo. Fasa yna ddim diben iddyn nhw wneud oherwydd y gwynt 'ma o'r môr sy'n amlwg yn merwino popeth.

Mae rhywbeth yn dod drosta i wrth weld y craciau yng ngherrig y llwybr a dwi'n cofio hen gêm o ddyddiau plentyndod. Ond pa blentyndod? Un, dau, tri, naid. Dwi wedi chwarae'r gêm hon o'r blaen. Yma. Fan hyn. Ond fues i erioed yma o'r blaen. Mae o'n deimlad cryf. Cryfach na fi. Dwi'n blentyn eto. Un, dau, tri, naid. Cyflymu. Cyflymach. Neidio neu…

"Dos o 'ma! Gnawas uffar!"

Cyn i mi amau mai ataf i mae'r llais yn cyfeirio, mae cath drilliw denau'n sgrialu trwy'r drws agored. Mi fedra i weld i mewn i'r portsh ffrynt lle mae yna bentwr o botiau'n dal *geraniums*. Gormod ohonyn nhw'n llenwi lle bychan. Dwi'n eu hogleuo nhw, yn wyrdd ac yn gryf. Maen nhw yno i wneud iawn am y ffaith nad oes gobaith i flodyn yn yr ardd, mae'n debyg. Mae'r chwaon hallt sy'n chwythu i mewn i'r tŷ wedi chwalu drwyddyn nhw a gadael trwch o betalau trist ar hyd y llawr teils. Mae yna gloch ond mae gen i ofn ei chanu hi. Dwi'n sefyll yno'n pendroni a dydw i ddim yn sylwi ar sŵn traed yn crensian trwy'r cerrig mân wrth ochr y tŷ.

"Ia? Fedra i'ch helpu chi?"

Dwi'n troi i wynebu'r llais. A dwi'n dychryn. Mae hi fel pe bawn i'n edrych mewn drych ac yn fy ngweld fy hun yn hen. Yr un llygaid glas. Yr un trwyn. Siâp ei hwyneb. Dydw i erioed wedi gweld y wraig hon o'r blaen. Dwi'n berffaith sicr o hynny. Ond mae ei hwyneb a'i hosgo hi'n ddychrynllyd o gyfarwydd. Er ei bod hi yn ei saithdegau, mae hi'n syth fel brwynen ac yn dal, cyn daled â fi bob modfedd. Fedra i ddweud dim am sbel, dim ond edrych arni. Mae'n amlwg ei bod hithau wedi meddwl yr un peth yr eiliad y gwelodd hi fi. Mae hithau'n edrych ar fersiwn ifanc ohoni hi ei hun. Dwi'n gwybod ei bod hi ac mae hithau'n gegrwth fel pe bai hi wedi gweld ysbryd.

"Miriam? Miriam!"

Yr hen lais yna eto, y llais oedd yn dwrdio'r gath

yn y tŷ. Ond dydi Miriam ddim yn cymryd sylw. Mae hi'n syllu arna i'n fud ac mae fy nhraed, fy mochau, fy ngwefusau fel darnau o rew. Dwi bron yn methu ffurfio'r geiriau.

"Huw?" Mae fy llais i fy hun yn swnio'n ddiarth yn fy nghlustiau. "Dwi wedi dod i chwilio am Huw."

9

Mae Miriam a fi'n syllu ar ein gilydd, yn amlwg yn meddwl yr un peth ond yr un ohonon ni'n dwy'n dweud dim. Y llais wrth ddrws y tŷ sy'n torri'r garw eto. Teyrn o lais. Hen, hen lais sy'n graciau i gyd fel y llwybr o dan fy nhraed. Ydi pawb yn y pentre 'ma yn hen? Felly mae hi'n ymddangos. Pawb yn hen a chysetlyd ac yn perthyn i'r oes o'r blaen.

"Miriam? Pwy sy 'na? Jac Llefrith, ia? Gyrra fo i'r tŷ i mi gael ei weld o!"

"Naci, Dad. Nid Jac ydi o." Ond mae llais Miriam yn rhy dawel i fod yn ateb yr hen ddyn. Mae hi bron fel pe bai hi'n siarad hefo hi ei hun. "Nid Jac."

Yn sydyn dwi'n colli fy nerf, yn colli fy hyder. Mae fel pe bai fy mhenderfyniad i i gyd wedi diflannu rhwng bodiau fy nhraed i'r cerrig mân.

"Mae'n ddrwg gen i. Dwi'n tarfu. Ddylwn i ddim fod wedi..."

"Dowch i'r tŷ."

Mae o'n fwy o orchymyn nag o wahoddiad er bod llais Miriam yn isel a gwastad. Mae yna ryw awdurdod tawel o'i chwmpas ac mae hi'n edrych fel pe bai hi wedi dod ati ei hun ar ôl y sioc amlwg o fy ngweld i, merch gwbwl ddiarth sy'n edrych yr un ffunud â hi.

Mae'r tŷ'n dywyll fel roeddwn i'n disgwyl iddo

fod. Wrth fynd i mewn, mae'r grisiau'n fy wynebu, grisiau â chanllaw o goed du cerfiedig, grisiau wedi'u carpedu mewn coch digalon fel lliw gwaed wedi ceulo. Ond mae'r clipiau pres hen ffasiwn sy'n dal y carped yn ei le ar bob gris yn sgleinio'n ymosodol fel darnau herfeiddiol o'r haul. Mae o'n gyntedd hir a dau ddrws caeedig i'r dde. Dwi'n dilyn Miriam heibio i'r ddau ddrws ac mae'r cyntedd yn culhau, yn troi'n basej llawr teils cul lle saif hen gloc taid a'i wyneb yn llonydd. Heibio i'r cloc mawr mae drws arall, drws agored y tro hwn. Mae golau dydd yn llifo i'r stafell. Dwi'n trio edrych o 'nghwmpas heb ei gwneud hi'n amlwg fy mod i'n busnesu. Mae hi'n stafell weddol ei maint, yn gymysgedd ryfedd o'r hen a'r newydd, ac yn annisgwyl o groesawus. Mae hen soffa bantiog ar hyd y wal bellaf, ac uwch ei phen, yn sownd i'r wal, mae cwpwrdd gwydr cul, hir, pob modfedd cyn hired â'r soffa sydd oddi tani. Tu ôl i'r gwydr mae rhes o blatiau. Mae Miriam yn troi'n sydyn, yn edrych arna i, a dwi'n fy nheimlo fy hun yn cochi. Mae rhywbeth yn ei llygaid na fedra i mo'i ddarllen.

"Dwi wedi bod yn eich disgwyl chi," meddai hi.

Mae rhywbeth yn dal ar fy anadl a dwi'n teimlo 'mod i'n mygu. Be ar y ddaear ddaeth drosta i yn dod yma ar fy mhen fy hun fel hyn? Ond mae hi'n gwybod ei bod hi wedi fy nychryn i oherwydd mae hi'n tynnu cadair oddi wrth y bwrdd ac yn fy nghymell i eistedd. Dwi'n ufuddhau bron heb sylweddoli. Mae dau liain dros y bwrdd, un mawr melfedaidd trwm ac un arall plastig hefo patrwm llysiau arno. Maen nhw'n od efo'i gilydd, yn ddoniol a hyll ac yn gorwedd ar draws fy mhengliniau'n anghysurus. Mae hi'n dweud rhywbeth am wneud panad ac yn diflannu drwy ddrws agored arall lle mae'r gegin.

Dyna pryd dwi'n sylweddoli nad ydw i ar fy mhen fy hun yn y stafell. Mae teledu bach ymlaen yn y gornel heb sain. Yn wynebu'r teledu mae cadair freichiau â'i chefn uchel tuag ata i. Y sŵn tagu sydyn sy'n dod ohoni sy'n rhoi'r braw mwyaf i mi, mwy o fraw hyd yn oed na geiriau rhyfedd Miriam eiliadau yn ôl. Mae yna rywun yma hefo fi. Dwi'n rhewi yn fy unfan, yn teimlo llygaid y cŵn tsieina gwynion sydd ar y silff uwchben yr alcof lle mae'r Aga. Dyna pam mae'r stafell yma'n gynnes, yn rhy gynnes. Gwres parhaus y stof fawr yn lledu i bob cornel fel niwl anweledig. Mi fydda i wedi mygu yma. Dwi'n teimlo rhyw banig tyn yn codi i fy nghorn gwddw. Dim ond codi a mynd sydd raid i mi. Codi a rhedeg allan yn ôl ar hyd y pasej, ar hyd y cyntedd a thrwy'r drws ffrynt llychlyd. Dwi ddim yn garcharor yma, nac'dw? Pam felly na wna i godi a rhedeg o 'ma? Pam? Ac yn torri ar draws yr ofn rhyfedd, na fedra i mo'i esbonio'n iawn, mae'r sŵn tagu. Daw llais Miriam o'r gegin gefn, yn annaturiol o normal a chlên:

"Dach chi'n cymryd siwgwr a llefrith?"

Cyn i mi ateb, mae cefn y gadair freichiau'n ysgwyd, yn dod yn fyw, a fedra i mo'i hateb. Mae'r llais o'r gadair yn gwneud hynny yn fy lle. Hwn ydi'r llais a glywais pan gyrhaeddais i. Llais yr hen ŵr oedd yn rhegi'r gath.

"Be ti'n fwydro, dywed? Ti'n gwbod yn iawn sut dwi'n cymryd fy nhe."

Mae Miriam yn ymddangos hefo hambwrdd. Dau fŷg a chwpan a soser. Mae yna jwg lefrith las hefyd a phowlen siwgwr.

"Mi gewch chi'ch helpu'ch hun, ylwch. Haws."

"Helpu fy hun? Ti'n dechra drysu? A lle ma Jac? Ddudist ti..."

Mae'r hen ddyn yn codi ar ei draed gan ddal i draethu ac yna mae'n fy ngweld i'n eistedd yno. Ac mae'i wyneb o'n newid, yn goleuo fel ffenest wrth i rywun dynnu'r llen. Mae o'n edrych fel pe bai o'n ailddysgu sut i wenu:

"Elin? Elin...!"

"Dad, steddwch yn ôl 'cofn i chi ddisgyn."

"Ond ma Elin yma. Elin wedi dod yn ei hôl..."

"Ydi, Dad, wn i. Mi gawn ni i gyd banad rŵan hefo'n gilydd. Ac mi geith Elin ddeud ei hanes i gyd!" Mae Miriam yn edrych arna i ac mae rhywbeth tebyg i rybudd yn ei llygaid. "Ti'n aros am banad, yn dwyt, Elin?"

Mae gen i isio gweiddi: Be dach chi'n ei feddwl? Nid Elin ydw i, pwy bynnag ydi honno. Ela dwi. Dwi ddim yn dallt hyn a dwi isio mynd adra. Ond fedra i ddim a dwi'm yn gwybod pam. Y cyfan dwi'n ei wybod ydi nad oes gen i ddim dewis. Felly dwi'n nodio fy

mhen fel pe bawn i wedi cerdded i mewn i freuddwyd
– na, roedd yn debycach i hunllef – ac yn aros ar fy
eistedd ac yn yfed fy nhe.

10

"Ti'n siŵr na fydd Louise yn meindio 'mod i wedi dy decstio di?"

"Pam faswn i'n dangos fy nhecsts i Louise?"

Dwi'n cael yr argraff nad ydi'r garwriaeth rhyngddi hi a Beds yn mynd yn rhy dda ond dwi'n dweud dim, yn pasio un o'r caniau Coke iddo fo ac yn agor f'un i gyda sŵn bach sydyn fel brigyn yn torri. Roedd yn rhaid i mi siarad hefo rhywun a'r rhywun hwnnw ydi Beds fel arfer. Dydan ni ddim wedi gweld cymaint ar ein gilydd ers iddo fo a Louise ddechrau mynd allan hefo'i gilydd. Mae hyn fel pe na bai Louise yn bod o gwbwl. Dydi hi ddim yn hawdd rhannu ffrind gorau ond heddiw does dim rhaid i mi.

"Lle mae hi heddiw 'ta?"

"Wedi mynd i Leeds i weld ei nain." Mae o'n cymryd swig o'i gan diod. "Dydan ni ddim yn mynd i siarad am Louise drwy'r pnawn gobeithio?"

Dwi'n synhwyro'i fod o isio troi'r stori felly dyna dwi'n ei wneud.

"Ma 'mhen i'n troi, Beds. Dwi wedi dechrau rhywbeth a does yna ddim troi'n ôl."

"Dwyt ti ddim wedi sôn wrth Catrin ac Eurwyn felly?"

"Wel, naddo, ddim eto. Ro'n i isio gofyn dy farn di'n gynta."

"Mae o'n sbwci, Els."

"Be ti'n feddwl?"

"Wel, y ffordd ddywedodd y ddynes ei bod hi wedi bod yn dy ddisgwyl di, yn un peth."

"Fy nain. Y ddynes, fel ti'n ei galw hi. Mae Miriam yn nain i mi. Mam fy nhad biolegol. Mam Huw. O mai god, Beds! Maen nhw'n deulu iawn i mi. Hi a'r hen foi blin 'na. Mae hwnnw'n hen daid i mi felly! A meddylia ei fod o'n gant oed. Cant!"

"Mae hynny'n golygu iddo gael ei eni yn y flwyddyn y suddodd y *Titanic*!"

Dwi'n dal i drio gwneud synnwyr o'r hyn a ddywedodd hwnnw. Yr hen hen ddyn. Owen Huw. Tad Miriam. Fedra i ddim meddwl amdani fel 'Nain'. Mi wnaeth o fy ngalw i'n Elin. A Miriam wedyn yn rhyw wincio arna i'n od fel pe bai hi'n gofyn i mi chwarae'r gêm ryfedd 'ma o gogio mai Elin oeddwn i.

"Ffwndro mae o," meddai Miriam. "Tasa chi ddim ond yn cymryd arnoch. Elin oedd ei chwaer o. Eich gweld chi'n debyg iddi mae o. Chofith o ddim byd ar ôl i chi fynd. Fel'na mae o erbyn hyn, mae arna i ofn. Dach chi ddim yn meindio, nac dach?"

Doeddwn i ddim yn siŵr a oeddwn i'n meindio ai peidio. Ond chwarae'r gêm wnes i achos wyddwn i ddim sut i wrthod. Ac er bod yna rywbeth yn 'sbwci' chwedl Beds ynglŷn â'r holl beth, roedd rhywbeth trist yn y sefyllfa hefyd. Roedd yr hen foi yn amlwg wedi'i cholli hi, bechod. A'r munud y meddyliodd mai fi oedd

Elin mi newidiodd i gyd. Diflannodd ei dymer flin a daeth rhyw anwyldeb rhyfedd drosto. Estynnais am y baned a chymryd un llymaid gofalus. Ond doedd y te ddim mor boeth â hynny wedi'r cwbwl. Gormod o lefrith ynddo. Ond ddywedais i ddim byd. Roedd o'n syllu arna i'n hir cyn dweud:

"Rwyt ti wedi anghofio rhoi siwgwr yn dy de!"

Roedd Elin wedi hoffi te melys, mae'n rhaid. Edrychais i gyfeiriad Miriam am arweiniad. Roedd hi'n ddigon anodd yfed y te fel roedd hi. Wnaeth hi ddim ond gwenu felly cefais syniad. Estynnais am y bowlen siwgwr a llwytho dwy lwyaid i fy nhe llugoer. Fyddai dim rhaid i mi ei yfed o o gwbwl rŵan ac mi fyddai Miriam yn gwybod pam. Pa well esgus?

"Be ydi hanas y cwch erbyn hyn?" gofynnodd Owen Huw. Roedd ei lygaid o'n wyrddlas dyfrllyd fel y môr ei hun.

"Wn i ddim," atebais. "Dydw i ddim wedi bod i lawr yno eto."

Gwenodd wrtho'i hun fel pe bai fy ateb wedi'i blesio. Holodd gwestiwn neu ddau wedyn a diolch byth roedden nhw'n ddigon penagored i mi allu rhoi atebion gweddol gall iddo. Ymhen munudau decheuodd ei amrannau drymhau. Roedd fel pe bai'n syrthio i gysgu bron ar ganol brawddeg. Roedd codi at y bwrdd ac yfed y baned wedi'i flino'n ofnadwy. Doedd dim syndod, mae'n debyg, ac yntau mor hen.

Mae Beds yn gwrando'n astud ar hyn i gyd fel pe bai'n ei chael yn anodd fy nghredu i. Ond dwi'n gwybod ei fod o. Dydi o ddim yn credu 'mod i wedi mynd i'r lle na chael hyd i'r bobol ar fy mhen fy hun.

"Mi ddylat ti fod wedi gofyn i mi ddod hefo ti."

Howld on. Ydi o'n euog? Yn genfigennus am fy mod i wedi cael antur hebddo fo? Yn flin am iddo golli allan? Yn poeni cymaint â hynny amdana i?

"Mae petha wedi newid, do?"

"Be ti'n feddwl?"

"Wel, Louise, 'de? Fedri di ddim jyst mynd i lefydd ar dy ben dy hun hefo hogan arall rŵan sti. Dim a chditha hefo cariad."

"Mae hi'n gwbod ein bod ni'n ffrindia. Mi fasa hi'n dallt..."

Ond dydi o ddim yn swnio'n sicr iawn wrth i weddill y frawddeg fynd ar goll rhywle rhwng ei geg a'r llawr. Pe bawn i'n onest, dwi ddim yn siŵr pa mor genfigennus ydw innau chwaith. O Louise. O'u perthynas nhw. Ydi Beds yn dechrau ailfeddwl? Sut ydw i'n teimlo am hynny? Ydw i isio iddo fo'i dympio hi? Mae gen i ofn ateb fy nghwestiwn fy hun ond dwi'n sicr o un peth. Mae pethau'n wahanol. Mae Louise yno yn y cefndir ac yn dod rhyngon ni. Hi piau Beds, nid fi, a dydw i ddim yn rhy hapus am hynny. Dwi'n dweud rhywbeth wrtho i drio newid pethau. Newid y balans. Dwi'n gweld bwlch yn yr arfwisg, fel chwedl Achilles ers talwm. Y lle bach ar ei sawdl lle'r oedd modd ei niweidio. Y gwahaniaeth ydi mai calon Beds dwi'i hisio, nid ei sawdl. Ac nid ei frifo ydi fy mwriad i chwaith. Jyst gweld fy nghyfle.

"Iawn, 'ta. Tyrd hefo fi'r tro nesa."

Dydi o ddim yn ateb, ond dwi'n gadael fy nghynnig yno, yn hofran fel darn o frethyn wedi bachu ar frigyn. Fel'na'n union y teimlaf innau. Mae darn bach ohonof i'n perthyn i Beds a hyd yn oed pe bawn i'n cael y tamaid hwnnw yn ôl fyddwn i byth cweit yr un fath eto.

11

"Dydi dy rieni maeth di byth yn eu holau?"

"Eurwyn a Catrin? Na. Wythnos nesa."

"Welith neb dy golli di am ddiwrnod neu ddau felly."

A oedd rhywbeth yn anghyfrifol yn y ffordd ddywedodd Miriam hynny? A oedd hi'n awgrymu na ddylwn i sôn gair wrth Eurwyn a Catrin? Gwthiaf yr amheuaeth i gefn fy meddwl a gwthio fy mag-dros-nos i gefn y car. Ddylwn i ddim bod ofn, na ddylwn? Wedi'r cwbwl, mae'r wraig yma'n nain i mi, yn dydi? Nain na wyddet ti ddim am ei bodolaeth hi ychydig ddyddiau'n ôl, meddai llais bach yn fy mhen. Efallai mai celwydd ydi'r cyfan. Ond wedyn dwi'n edrych ar ei hwyneb hi, a does dim amheuon.

Rydan ni mor debyg i'n gilydd â phe baen ni'n fam a merch, dim ond ei bod hi braidd yn hen i fod yn fam i mi. Ond nain? Mae hynny'n gwneud synnwyr perffaith.

"Ailfeddwl wyt ti? Isio anghofio am y peth?"

Mae o'n anhygoel ei bod hi'n darllen fy meddwl i fel hyn. Sbwci. Dyna oedd gair Beds.

"Na, wir…"

"Mae hi'n bwysig nad wyt ti'n teimlo dan bwysau i ddod acw i aros. Mi faswn i'n dallt yn iawn…"

"Dwi isio dod."

Mae'r car yn flêr, yn llawn anialwch a hen bapurau pethau-da ar hyd y llawr. Mae yna gerdyn siâp coeden sydd i fod i ollwng arogleuon Nadoligaidd i'r car. Ond mae Dolig wedi hen fynd a'r cerdyn ogla da wedi crino. Dwi'n suddo i hen ledr y sedd ac yn dechrau teimlo'n annisgwyl o gysurus. Mae Miriam wedi dechrau fy holi ynglŷn â hyn a'r llall ac yn fy helpu i ymlacio fwyfwy. Mae'r siwrnai bron ar ben cyn i mi sylweddoli ein bod ni wedi dod cyn belled. Cyn i mi sylweddoli hefyd bod Miriam, yn ei ffordd dawel, gyfrwys ei hun, wedi llwyddo i gael hanes fy mywyd i.

Mae fy stafell wely i ar lawr uchaf y tŷ. Mae hynny'n uchel oherwydd roedd i'r tŷ dri llawr. Wrth i Miriam roi fy mag ar y llawr a 'ngadael i gynefino â'r stafell dwi'n sylweddoli pa mor anhygoel yw'r olygfa o'r fan hyn. Mae'r stafell yn anferth ac iddi bedair ffenest – dwy hir a dwy ffenest ochr a'r rheiny'n gul. Ffenestri hen ffasiwn ydyn nhw, sy'n agor at i fyny. Does dim gwydr dwbwl modern. Er mai awel yn unig sy'n chwythu o'r môr heddiw, mae un o'r ffenestri'n ysgwyd yn ei ffrâm. Yna, dwi'n gweld darn bach trionglog o rwber du ar y llawr. Mae yna ddarnau fel hyn yn y ffenestri eraill, wedi cael eu gwasgu rhwng y fframiau. Felly mae gwneud iddyn nhw stopio clecian. Yn betrus, dwi'n gyrru'r triongl bach du i'r bwlch rhwng y pren nes bod y sŵn yn stopio. Dim ond sŵn y môr sydd bellach, a hwnnw'n bell ac yn agos ar yr un pryd, fel sŵn anadlu. Dwi erioed wedi bod mor agos ato fo. Mae'r tonnau llwyd yn llenwi'r ffenestri, yn rhythmau i gyd ac yn fyw, fel riff gitâr.

Mae yna wich ysgafn ym mhren y llawr y tu ôl i mi a dwi'n troi i gyfarch Miriam sydd yn amlwg wedi dod yn ei hôl. Ond does neb yma ond y fi. Od. Roedd hi bron fel pe bai rhywun yma'n anadlu. Sŵn y môr, debyg iawn. Y gwynt. Y ffenestri. Mae hen le fel hyn yn llawn synau. Ac eto...

"Ela? Dwi'n gneud panad."

Llais Miriam o waelod y grisiau. Mae hi'n swnio ymhell i ffwrdd. Dwi'n dadbacio'r llond dwrn o bethau sydd gen i hefo fi a'u gosod ar y gwely. Gwely dwbwl mawr uchel ond mae'r dwfe patrymog lliwgar arno yn amlwg yn newydd ac yn clasio'n ddidrugaredd hefo gweddill yr addurniadau a'r dodrefn duon, hynafol. Yn yr hen le tân oer mae'r llond fas o flodau sychion, llychlyd yn gwneud i mi feddwl am flodau ar fedd. Ar hyd un wal mae bwrdd cul a drôr bach ynddo, ac arno ddau dywel glân, gwyn a jwg a basn. *En suite* yr oes a fu. Mae'n amlwg fod Miriam a'i thad yn dal i fyw yn yr hen oes ond dwi'n amau mai o raid mae hyn ac nid trwy ddewis. Mae Miriam yn hoffi pethau modern yn amlwg, ond mae gwaith cynnal a chadw ar hen dŷ fel hwn a, hyd y gwela i, ychydig iawn o hynny sydd wedi digwydd. Mae rhan ohonof yn sydyn yn teimlo bechod drosti, wedi'i chaethiwo yma i edrych ar ôl ei thad oedrannus. Dydw i ddim yn aros i ystyried efallai mai ei dewis hi yw hynny.

Mae'r grisiau'n serth ac yn dywyll a dwi'n mentro

i lawr yn araf ac yn dilyn y pasej llawr teils a'r synau llestri i gyfeiriad y gegin. Dwi'n disgwyl gweld y teledu ymlaen yn y gornel arferol ac Owen Huw'n pendwmpian o'i flaen yng ngwres yr Aga. Ond dydi o ddim yna ac mae'r teledu'n fud. Yr unig beth sy'n aros yw'r blanced o gynhesrwydd yn gorwedd dros y stof. Dydi hi ddim cyn boethed yma heddiw. Ac mae rhywun arall, diarth yma, yn sefyll â'i gefn tuag ataf a dwi'n gwybod yn syth, yn reddfol, cyn iddo droi a dangos ei wyneb, mai hwn yw fy nhad.

Miriam sy'n sylwi arna i'n gyntaf. Mae Huw'n fy ngweld yn llygaid ei fam ac yn troi. Dwi ddim yn siŵr beth oeddwn i'n ei ddisgwyl, sut ymateb fyddwn i'n ei gael. Dwi erioed wedi cael llawer o gynhesrwydd gan bobol, na fawr o emosiwn. Mae hyd yn oed Catrin, sydd fel mam i mi, yn gallu bod yn bell ambell waith ac yn anodd closio ati. Mae yno garedigrwydd, ond fawr o gwlwm. Dwi wedi arfer â phellter pobol ac oherwydd hynny mae dangos teimladau yn anodd i mi. Mae hi wedi bod yn haws eu cuddio nhw ar hyd fy oes. Dyma sut dwi wedi goroesi. Cadw fy nghyfrinachau i mi fy hun. Wal. Amddiffynfa. Hyd yn oed wrth weld emosiwn mewn pobol eraill dwi'n teimlo rhyw embaras a swildod. Fel hyn yn union mae hi hefo Huw.

"Ela?"

Mae o'n gwneud i fy enw swnio fel cwestiwn. Hyd yn oed mor fuan â hyn ac yntau ddim ond newydd fy nghyfarfod mae'n ymddangos fel pe bai wedi estyn ei freichiau i 'nghofleidio ond mae fy swildod wedi codi fel mur. Gwêl hynny ac estyn ei law.

Dwi wedi bod dros hyn yn fy meddwl sawl gwaith. Wedi rihyrsio fy llinellau er mwyn swnio'n gall a synhwyrol a rhesymol. Ond mae popeth wedi mynd o 'mhen i. Mae'i lygaid o'n garedig a'i law o'n gynnes ac er fy ngwaethaf dwi'n ymlacio'n gynt yn ei gwmni nag a fyddwn i fel arfer yng nghwmni dieithryn.

"Maen nhw'n deud mai chi ydi 'nhad i." Jyst fel'na. Mae'n dod allan jyst fel'na a dwi'n teimlo fy hun yn cochi.

"Os mai merch Yvonne wyt ti, rwyt ti'n ferch i mi." Mae'i lais o'n dawel ond yn bendant.

"Sut medrwch chi fod mor siŵr?" Yr eiliad dwi'n dweud y geiriau mae gen i gywilydd. Fedra i ddim credu 'mod i wedi dweud y fath beth. Nid yn unig fod hynny'n swnio fel pe na bawn i'n rhy awyddus i'w gael o'n dad, ond yn hytrach fel pe bawn i'n amau fy mam fy hun, yn awgrymu bod ganddi lond lle o gariadon a sawl tad posib i mi. "Sori, do'n i ddim yn golygu…"

"Rwyt ti'r un ffordd â hi. Yr un llais. Yr un swildod… ac rwyt ti'r un ffunud â fy mam i fy hun. Ond mi ddarllenaist ti'r dyddiadur, meddet ti. Roedden ni hefo'n gilydd. Doedd neb arall – iddi hi nac i mi. Yli, os wyt ti'n mynnu, mi gymra i brawf DNA."

"Nefi, dach chi'n swnio fel y bobol 'na ar raglen Jeremy Kyle!"

Rydan ni'n troi mewn syndod i edrych ar Miriam ac

mae'n debyg fod yr olwg ar ein hwynebau ni'n dau'n bictiwr. Mae hi'n chwerthin nes bod rhywbeth yn tasgu ohoni i doddi bob dim a'n tynnu ni'n nes.

"Be? Doeddech chi ddim yn meddwl y byddai rhyw hen ddynes fel fi sy'n byw yng nghanol antîcs yr oes o'r blaen wedi clywed am Jeremy Kyle? *This Morning*? *Loose Women. Deal or No Deal*? Dyna'r unig beth mae Dad yn ei wneud ar hyd y dydd ydi ista o flaen y teli bach 'na. Syndod nad ydi'r peth ddim wedi chwythu ffiws!"

Mae'r chwerthin yn rhywbeth iach a braf a dwi'n sylweddoli mai pobol fel fi ydyn nhw. Mae Miriam yn sobri'n sydyn, yn camu ymlaen ac yn cydio yn ein dwylo ni'n dau, fi a Huw. Fy nhad.

"Gwrandwch. Mae hyn yn beth mawr i chi, i ni i gyd." Mae hi'n codi'i llygaid at y nenfwd, at y stafell uwchben a dwi'n deall yn sydyn mai fan'no mae Owen Huw heddiw yn gorffwys. "Mi gewch chi neud faint fynnoch chi o brofion DNA os mai dyna fyddwch chi isio, ond y peth pwysicaf ar hyn o bryd ydi siarad. Anghofiwch am y te. Mi gawn ni banad ffres pan ddowch chi'n ôl."

Dwi ddim yn siŵr i ble rydan ni'n mynd, ond dwi'n gwybod nad oes gen i ddim amheuon ynglŷn â dilyn Huw.

"Tyrd â rhywbeth cynnes i'w wisgo." Mae'i lygaid o'n dawnsio. "Mae hi'n medru bod yn oer allan ar y dŵr 'na!"

12

Dwi erioed wedi bod mewn cwch o'r blaen. Mae o'n gwch mawr hefo caban ac mae Huw'n ei drin yn fedrus. Dwi'n teimlo'n saff hefo fo, yn saffach pan ddywed ei fod wedi bod yn un o griw bad achub Moelfre ar un adeg.

"Pam nad ydach chi'n un o'r criw o hyd?"

"Rhy bell. Yn Lerpwl dwi'n byw ac yn gweithio. Darlithydd mewn Hanes yn y brifysgol yno."

Felly, mae o'n glyfar hefyd. Mae'r tad newydd 'ma sydd gen i'n garedig ac yn sgolar. Ac mae o'n trin cwch fel pe bai o wedi arfer bod yn gapten llong. Mae'n anodd disgrifio'r peth ond dwi mor gartrefol yn ei gwmni. Gallasai fod yn unrhyw un – yn llofrudd gwallgof hyd y gwn i. Ond mae popeth o fewn fy rheswm a fy rhesymeg yn fy argyhoeddi nad ydi o ddim.

"Dw inna'n hoffi hanes hefyd."

"Wel, mae hynny'n beth da a ninnau hefo cymaint ohono fo i'w adrodd wrth ein gilydd. Tyrd, ti isio llywio *Nel*?"

"Nel?"

"Enw'r cwch 'ma. Dwi'n gwbod mai 'hwn' ydi cwch ond enwau genod 'dan ni'n eu rhoi arnyn nhw. *Nel* ydi hon."

"Pam *Nel*?"

"Enw fy hen, hen nain oedd Nel. Hi oedd merch

doctor Moelfre yr adeg y suddodd y *Royal Charter*. Hen gartref Nel ydi Môr Awel, lle mae Mam a Taid yn byw. Ac yno dw inna wedi fy ngeni a 'magu. Mae'r tŷ wedi dod i lawr trwy'r teulu, ti'n gweld."

" 'Pe bai'r tŷ 'ma'n gallu siarad…'"

"Be?"

"Cân Bryn Fôn."

"O, wela i. Ti'n iawn. Ma waliau'r hen le'n llawn sibrydion."

"Be dach chi'n feddwl? Bwganod…?" Dwi'n gollwng y llyw mewn braw wrth feddwl 'mod i wedi cytuno i aros dros nos mewn tŷ'n llawn ysbrydion ac mae Huw'n neidio i'r adwy dan chwerthin.

"Sori…"

"Dim problem. Mae hi'n cymryd dipyn mwy na hynna i daflu *Nel* oddi ar ei hechel."

Erbyn hyn rydan ni'n torri cwysi braf trwy'r tonnau ac mae arfordir Amlwch a Chemaes yn rhubanu heibio.

"Ti'n lecio Bryn Fôn felly?"

"Lecio pob math o fiwsig. Unrhyw beth fedra i ei strymio."

"Titha'n chwarae gitâr hefyd? Mi fydd raid i ni gael sesiwn jamio. Tad a merch."

Mi fydd yn dweud wrtha i nesaf ei fod o'n chwarae mewn band.

"I ddweud y gwir, Ela, mi oeddwn i'n chwarae mewn band pan symudais i i Lerpwl i ddechrau…"

"Peidiwch â deud wrtha i mai'r Beatles oeddan nhw, plis. Fedra i ddim cymryd mwy o syrpreisys."

Rydan ni'n rhannu'r un hiwmor, yr un diddordebau. Mae o'n berffaith. Pe bai rhaid i mi eistedd a sgwennu paragraff ar yr hyn y dylai fy nhad i fod, fel hyn byddai o. Yn union. Mae dagrau'n cronni yn fy llygaid er 'mod i'n hollol hapus, yn gwbwl fodlon.

"Pam na ddaru chi aros hefo'ch gilydd? Chi ac Yvonne. Mi fasa popeth wedi bod mor wahanol..."

Dwi'n meddwl am rieni mabwysiedig fy mam. Doedd o mo fy isio i a doedd hi, Jean, ddim yn ddigon cryf i gwffio amdana i ar ôl marwolaeth Yvonne. Dwi'n meddwl am y cartref plant, am garedigrwydd Eurwyn a Catrin, yn gwneud y peth iawn ond yn amlwg yn caru eu merch eu hunain gymaint yn fwy na fi. Wedyn dwi'n edrych ar y môr mawr o 'nghwmpas, ar y tad nad ydw i ddim ond wedi'i adnabod ers ychydig oriau. Yma mae fy lle i. Yma dwi i fod.

"Pam, Dad?"

Dwi wedi'i alw fo'n hynny cyn i mi sylweddoli'n iawn beth ddywedais i ac mae o wedi gafael amdana i yr un mor sydyn, fy nal i'n dynn ac mae'r fflodiat yn agor. Dwi'n crio a chrio nes bod dim ond igiadau ar ôl ac am y tro cyntaf yn fy mywyd dwi ddim wedi gorfod cuddio fy nheimladau oddi wrth neb.

13

Nid panad o de sy'n ein disgwyl ni ar ôl cyrraedd adra ond swper anhygoel. Cawl cartref a chaserol a bara wedi'i bobi'n ffres. Mae Miriam yn dipyn o gogyddes. Does dim golwg o Owen Huw byth.

"Fel hyn bydd o ambell waith," medd Miriam. "Diwrnod yn ei wely. Mae bod yn gant oed a'i holl ofidiau yn dipyn o faich iddo erbyn hyn, cr'adur."

Ei holl ofidiau. Roedd rhywbeth yn y ffordd y dywedodd Miriam hynny yn aros hefo fi. Pa ofidiau sydd wedi pwyso arno'r holl flynyddoedd yma, tybed?

"Ydi o wedi cael bywyd caled?"

"Mae o wedi gorfod byw hefo rhywbeth erchyll ar ei gydwybod. A rŵan hefo'r dryswch 'ma sydd wedi dod dros ei feddwl o, mae o'n ail-fyw'r peth rhyw ben o bob dydd. Maen nhw'n deud mai peth felly ydi o – cofio dim o ddydd i ddydd ond y gorffennol yn glir fel crisial. Dyna'i benyd o erbyn hyn."

"Penyd? Be wnaeth o, felly?"

Fy nhad sy'n ateb, wrth i Miriam dorri bara hefo mwy o egni nag sydd raid.

"Fo oedd yn gyfrifol am ddamwain hefo cwch rhwyfo allan yn y bae. Mi fu ei chwaer fach foddi a fo gafodd y bai am gymryd y cwch heb ofyn caniatâd. Pe bai o wedi gofyn, byddai wedi cael gwybod nad oedd y cwch yn ffit i fynd allan. Roedd yn cymryd dŵr i mewn ac yn gollwng fel gogor."

"Ond ar y cwch roedd y bai am hynny…"

"Ond mi ddaru o gymryd y cwch heb ofyn, ti'n gweld." Cydiodd Miriam yn y stori. "Dwyn y cwch. A phan suddodd o yn y bae mi lwyddodd rywsut i'w achub ei hun. Ond collodd afael ar Elin…"

"Elin?" Ac yna dwi'n sylweddoli. Elin oedd ei chwaer fach, yr un a fu farw o'i achos o. Dydi o erioed wedi gallu maddau hynny iddo'i hun. Elin, chwaer fy hen daid. Ac mi dw innau'r un ffunud â hi. Dyna pam oedd o'n meddwl mai fi oedd Elin y tro cyntaf hwnnw iddo fy ngweld i. A dyna egluro pam roedd rhaid chwarae'r gêm, cymryd arnaf mai fi oedd hi rhag ei ypsetio. Pa ddrwg, bellach, a wnâi hynny ac yntau mor hen a ffwndrus, yn byw o ddydd i ddydd ar ei atgofion ac yn ei boenydio'i hun beunydd, yn euog hyd y diwedd. Doedd o fawr mwy na phlentyn ei hun, rhyw damaid o hogyn yn benthyg cwch heb ofyn ac yn mynd â'i chwaer am drip allan i'r bae. Trip ar gwch fel ces i heddiw hefo fy nhad. Ond trodd y cyfan yn drasiedi yn y cwch bach yn agos i ganrif yn ôl ac mae Owen Huw yn dal i weld Elin o flaen ei lygaid bob dydd.

"Am ofnadwy."

Dwi ddim yn gwybod beth arall i'w ddweud. Mae hi'n amlwg nad oes neb ar ôl yn fyw heddiw fyddai'n ei feio. Ond mae'n dal i'w feio'i hun. Dyna'r drasiedi waethaf.

"Roedd hi'n groes fawr iddo'i chario ar hyd ei oes."

Mae Miriam yn codi i estyn plât er mwyn mynd â bwyd i fyny iddo. Mymryn bach, bach. Byddai gan aderyn fwy o archwaeth. Dwi'n gobeithio'r munud hwnnw na fydda i ddim yn byw i fod mor hen â fo.

Rydan ni ar ein pennau'n hunain wrth y bwrdd, fy nhad a fi. Dwi'n cael fy mwydo â mwy o dameidiau o hanes y teulu, ac mai Hannah, nain Elin ac Owen Huw, oedd merch Nel. Nel a roddodd ei henw i gwch Huw. Nel, merch doctor Moelfre, a helpodd i drin rhai o'r trueiniaid a achubwyd o drychineb y *Royal Charter*.

"Mae yna gyfrinach yn fan'na hefyd, cofia." Mae Huw yn rhoi winc i mi ac yn siarad mewn llais ychydig yn is. "Doedd y ffaith mai merch Nel oedd Hannah ddim yn wybyddus i bawb."

"Dwi ddim yn dallt."

"Un ar bymtheg oedd Nel ac yn ddibriod pan aeth hi i ddisgwyl babi. Y stori gan y teulu ydi ei bod hi wedi cael perthynas hefo dyn ifanc a achubwyd o'r llongddrylliad. Roedd o'n aros yn nhŷ'r doctor er mwyn cael gofal meddygol, ti'n gweld."

"Tŷ'r doctor. Fan hyn, felly?" Wrth i mi ynganu'r geiriau dwi'n ymwybodol o rywbeth, ond ddim cweit yn siŵr beth ydi o'n union chwaith. Mae rhyw ias yn fy ngherdded a dwi'n sylweddoli fod yr hen le 'ma'n berwi o hanes, ac o gyfrinachau. O drasiedïau. Oherwydd mae gen i deimlad, cyn i 'nhad orffen y stori, nad oedd diweddglo hapus i hanes Nel.

"Ia, fan hyn, yn y tŷ hwn." Mae fy nhad yn edrych

o'i gwmpas fel pe bai'n hanner disgwyl i'r waliau ddechrau siarad ac ategu'r hyn mae o newydd ei ddweud.

"Dwi'n dyfalu na wnaeth o'i phriodi hi. Priod yn barod, mae'n siŵr."

Mae fy nhad yn mentro gwên ddireidus.

"Dipyn o hen sinig, yn dwyt? Meddwl y gwaethaf o'r creadur."

"Ond mi ddywedoch chi ei bod hi'n fam ddibriod."

"Dibriod, oedd. Ond nid am y rheswm hwnnw. Mi fu farw'r dyn ifanc. Roedd o wedi troi at wella'n ddigon del, yn ôl yr hanes, ac yna mi gafodd ei daro gan dwymyn arall. Niwmonia neu rywbeth felly, mae'n debyg. Cadwyd cyfrinach Nel o fewn y pedair wal yma. Fe'i cadwyd hi o olwg pawb yn ystod y beichiogrwydd, a phan aned Hannah aeth y doctor a'i wraig drwy'r mosions o gogio mai eu plentyn nhw oedd hi. Magwyd Hannah fel chwaer fach i Nel. O, mae'n debyg fod yna hen siarad wedi bod yn y pentref tu ôl i'w cefnau ond sticiwyd at y stori. Roedd hi'n help mawr bod y doctor yn cael ei barchu gan bawb. Nid rhyw giaridýms o deulu oedden nhw a fyddai neb wedi meiddio dweud dim yn agored felly."

Dwi'n fy nghael fy hun yn hel achau yn fy mhen. Y dyn ifanc a achubwyd. Tad Hannah. Roedd hwnnw felly yn hen daid i Owen Huw sydd yn y gwely yn y stafell uwch ein pennau. Yn hen hen daid i Miriam. Hen hen hen daid i Huw. Ac yn hen hen hen *hen* daid i minnau! Sawl gwaith mae modd rhoi'r ansoddair 'hen' o flaen enw rhywun? Mae olrhain pwy ydi pwy yn gwneud i 'mhen i droi. Fedra i ddim credu 'mod i newydd gael hyd i deulu na wyddwn i am eu bodolaeth nhw tan yn ddiweddar, teulu â'u hanes ynghlwm â'r *Royal Charter*, ac eto, hyd yn oed rŵan mae hi fel pe bai darnau o'r jig-so yn dal ar goll.

"Does neb yn gwybod pwy oedd o felly? Tad iawn Hannah? Y dyn o'r *Royal Charter*?"

"Ti'n meddwl nad ydw i wedi chwilio i mewn i'r peth a finna'n hanesydd? Mi rydan ni'n mynd yn ôl i 1859, cofia."

"Ia, ond dydi hynny ddim mor bell â hynny'n ôl."

"Does gen i ddim hyd yn oed enw. Y cyfan sydd gen i ydi straeon o fewn y teulu. Mi fyddai hi'n amhosib mynd i wraidd y peth erbyn hyn."

"Ond mae yna gofnodion, toes? Pwy oedd ar y llong, pwy gafodd ei achub? Mae'n rhaid i ni ffendio allan..."

Chwerthin mae Huw yn wyneb fy mrwdfrydedd i ac ar yr eiliad honno mae Miriam yn dod yn ei hôl. Mae mwy o gwestiynau yn fy mhen ond dwi'n synhwyro nad dyma'r amser i barhau hefo'r holi. Mae rhyw flinder sydyn yn dod drosta i a dwi'n sylweddoli bod awyr y môr a llond bol o fwyd cartref wedi fy nhrechu. Dwi'n rhoi fy llaw dros fy ngheg i guddio'r ffaith 'mod i'n dylyfu gên ond dwi ddim yn llwyddo.

"Mae'r holl gyffro'n dal i fyny hefo chdi." Mae Miriam yn edrych yn eitha ifanc yng ngolau'r gannwyll a'i gwallt wedi'i glymu'n ôl. "Os wyt ti isio noson gynnar, paid â bod ofn dweud!"

Dwi'n gweld fy nghyfle ac yn dianc yn ddiolchgar, nid oherwydd 'mod i wedi cael digon ar eu cwmni – mae gen i gymaint i'w ofyn i Huw o hyd – ond am fy mod i wir wedi llwyr ymlâdd. Mae Huw'n codi ac yn agor drws y cwpwrdd gwydr hir lle mae rhes o lyfrau. Mae'n cynnig dau lyfr i mi.

"Wn i ddim faint o hanes llong y *Royal Charter* rwyt ti'n ei wybod, ond efallai yr hoffet ti bori drwy'r rhain cyn mynd i gysgu!"

"Huw, dwi ddim yn meddwl bydd Ela angen dim byd i'w helpu i gysgu heno!" Mae tôn Miriam yn ysgafnach nag y bu a dwi'n cael yr argraff fod rhyw faich wedi'i godi oddi arni. Mae'n debyg bod y ffaith fy mod i a 'nhad yn dod ymlaen cystal yn rhyddhad mawr iddi.

Dwi'n gwenu ac yn cymryd y llyfrau. Wrth i mi ddringo'r grisiau serth i fy stafell wely yn nhop ucha'r tŷ, dwi'n sylweddoli na chefais i wybod beth yn union oedd wedi digwydd wedyn i Nel.

14

Mae'n rhaid fy mod i wedi cysgu fel twrch. Anghofiais dynnu'r llenni cyn mynd i 'ngwely neithiwr. Fedra i ddim credu'r olygfa anhygoel sy'n llenwi pob ffenest. Mae hi'n ddiwrnod o haul a gwynt ac mae'r tonnau'n gwreichioni. Er gwaethaf fy holl flinder bûm yn darllen tan yr oriau mân. Mae trasiedi llong y *Royal Charter* wedi cydio yn fy nychymyg. Y storm erchyll a feddiannodd lannau Môn y noson honno a lluchio'r llong ar y creigiau i'w darnio a'i dryllio'n ddidrugaredd. Pobol Moelfre'n mentro'u bywydau i drio achub y trueiniaid ac yn cael eu trin yn frwnt wedyn gan y papurau newydd yn eu cyhuddo o ddwyn aur oddi ar y meirw a olchwyd i'r lan.

Oedd cariad Nel, fy hen hen hen *hen* daid, yn dod ag aur adra o Awstralia ar ôl gwneud ei ffortiwn? Ynteu a oedd o'n un o'r criw? Neu'n forwr? Rigar? Saer coed? Neu efallai mai fo oedd y bwtsiar oedd yn lladd yr anifeiliaid er mwyn i'r teithwyr gael cig ffres ar y fwydlen. Nid unrhyw fath o long oedd hon. Roedd hi'n un o longau mwyaf safonol ei dydd, yn gyflym, moethus, dibynadwy. I fod. Mi ddywedon nhw'r un fath am y *Titanic*. Mae cyfeiriad felly ati yn un o'r llyfrau – *Titanic Oes Fictoria*. Ac os dwi'n sefyll wrth ffenest chwith yn y stafell hon ac yn edrych allan i'r môr mi fedra i weld yn union lle digwyddodd y drychineb. Y cyfan sydd i'w weld heddiw ydi cawod o haul ar donnau sy'n dawnsio.

Mae sŵn tu allan i'r drws. Miriam. Mae ganddi degell yn ei llaw a'i lond o ddŵr poeth.

"Ar gyfer ymolchi?" Mae hi'n dweud y frawddeg fel pe bai'n gwestiwn. "Mae yna ddigon o ddŵr oer yn barod yn y jwg."

Wrth gwrs. Y jwg a'r basn. Mae rhywbeth rhamantus mewn ymolchi fel y byddai pobol ers talwm. Dydi'r ffaith fod gen i ddim tapiau a dŵr yn rhedeg ohonyn nhw ddim yn fy mhoeni. Mae hyn yn antur. Mi fydd yn rhaid gwagio'r dŵr sebon i rywle wedyn ond dwi ddim isio meddwl am hynny rŵan. Rhwng y dŵr berw o'r tegell a'r dŵr o'r jwg mae gen i lond basn o ddŵr cynnes braf i ymolchi ynddo a thyweli gwynion, meddal. Pwy sydd isio bathrwms modern pan fo modd ymolchi'n hamddenol fel hyn a sŵn y môr yn y cefndir fel pe baech chi'n dal cragen fawr at eich clust yn barhaus.

Mi fedrwn yn hawdd gau fy llygaid a chredu fy mod yn ôl yn nyddiau y *Royal Charter*. Ar wahân i'r dillad gwely newydd mae bod yn y stafell hon fel bod mewn amgueddfa, mewn capsiwl o'r oes o'r blaen. Hen wely, hen ddodrefn, a charped bychan ar ganol y llawr sydd ddim yn llwyddo i guddio'r llawr pren i gyd. Dwi'n sylwi am y tro cyntaf ar lun ar y wal. Llun du a gwyn o ferch ifanc a phlentyn bach. Dydi'r plentyn fawr hŷn na babi, rhyw naw mis, neu flwydd oed efallai. Mae hi'n gwisgo ffrog a bonet. Mae'r ferch yn dal y plentyn ar ei glin ac yn syllu'n syth allan o'r llun fel pe bai hi'n gallu fy ngweld i go iawn. Ond nid dyna sy'n rhoi tro arna i ac yn gwneud i mi ddal fy anadl. Yr hyn sy'n fy nychryn ydi bod edrych ar y llun yn union fel edrych mewn drych. Fi ydi hi. Yr un llygaid a thrwyn a cheg. Mae edrych ar y ferch yn y llun fel edrych arna i fy hun.

Mae arogleuon cynnes bacwn a thost yn fy nghroesawu wrth i mi gyrraedd y gegin. Mae hi fel pe bai blanced o normalrwydd wedi'i thaflu drosta i a fedra i ddim credu 'mod i wedi cael cymaint o fraw funudau'n unig yn ôl.

"Wel, gysgaist ti'n iawn?"

Mae Huw wrth y bwrdd yn barod a phlât gwag o'i flaen. Dwi'n ateb ei gwestiwn hefo fy nghwestiwn fy hun,

"Pwy ydi'r hogan sydd yn y llun ar y wal yn fy llofft i? Yr hogan hefo'r plentyn?"

Mae Miriam drwodd yn y gegin fach lle mae'r sinc, yn ail-lenwi'r tegell. Mae Huw'n edrych arna i'n fyfyriol cyn dweud,

"Mae hi'r un ffunud â chdi, tydi? Neu'n hytrach, rwyt ti'r un ffunud â hi." Fel pe bai dweud hyn wedi dod i'w feddwl o'n barod. "Gesia, 'ta, Ela. Pwy wyt ti'n feddwl ydi hi?"

Ac mae'r cyfan yn fy nharo i'n sydyn. Wrth gwrs.

"Nel ydi hi, yndê? A'i phlentyn ar ei glin. Nel a Hannah!"

"Stafell Nel oedd honna rwyt ti ynddi hi rŵan. Reit yn nhop ucha'r tŷ."

Mae'r hen ias 'na'n fy ngherdded eto. Mae hyd yn oed ein henwau ni'n debyg. Nel. Talfyriad o Elin neu Elen. Neu hyd yn oed Ela. Elin oedd wyres Hannah wedyn. Elin a foddodd, chwaer Owen Huw. Roeddwn i'n debyg i honno hefyd, yn doeddwn, yn ôl ymateb Owen Huw y tro cyntaf iddo 'ngweld i. Maen nhw'n dweud bod rhywbeth fel'na'n ymddangos o genhedlaeth i genhedlaeth, yn dydyn? Tebygrwydd teuluol fel'na. Neu'n neidio ambell genhedlaeth cyn ymddangos eto. Nel. Elin. Ela. I gyd yr un ffunud â'i gilydd. Mae gair Beds yn ei wthio'i hun i flaen fy meddwl. Sbwci. Dwi'n cofio'n sydyn fod yna rywbeth arall mae'n rhaid i mi ei ofyn, rhywbeth sydd ar fy meddwl ers neithiwr.

"Be ddigwyddodd i Nel?"

"Yn ôl cofnodion y teulu, marw'n ifanc ddaru hithau hefyd."

"Sut?"

"Wn i ddim. Ond mae'n debyg iddi farw rai dyddiau cyn ei phen-blwydd yn ddeunaw."

Trasiedi arall. Faint mwy o bethau erchyll ddigwyddodd yn nheulu Nel tybed? Daw Miriam i mewn hefo tost poeth. Dwi'n teimlo 'mod i mewn gwesty, ond gwesty hen ffasiwn lle mae popeth yn ffres. Nid bara wedi'i sleisio'n barod mo'r tost hwn, ac mae'n amlwg mai menyn fferm hallt, melyn sydd yn y soser ar y bwrdd, nid rhywbeth meddal o garton sydd yn hawdd i'w daenu, fel y stwff bydd Catrin yn ei brynu. Mae hi'n edrych ar Huw a fi, o un i'r llall, cyn dweud:

"Yn ddwfn mewn sgwrs ben bore fel hyn? Ydach chi wedi cael cyfle i ddeffro'n iawn, dwch?"

Ydi hyn yn swnio fel cyhuddiad? Ydan ni'n ei chau hi allan o'n sgwrsio tad a merch tybed? Ond mae'r cwmwl ddaeth drosti am eiliad yn pasio mor sydyn fel 'mod i'n amau'i fodolaeth o gwbwl. Fi sydd yn orsensitif i bopeth, siŵr o fod, a pha ryfedd, o ystyried y pethau dwi wedi'u darganfod yn ystod y dyddiau, yr oriau diwethaf?

"Meddwl mynd ag Ela am dro ar ôl brecwast oeddwn i. Rownd yr hen fynwent efallai, er mwyn iddi gael gweld cerrig beddi ei hynafiaid!" Mae Huw'n lluchio winc sydyn i 'nghyfeiriad wrth ddweud hyn a dwi ddim yn siŵr a ydi o'n cellwair ai peidio. Nes i Miriam ddweud:

"Mi dorrais i ormod o flodau i'r tŷ ddoe. Mae yna ddigon dros ben i chi fynd â rhai hefo chi i'w rhoi ar fedd Mam."

Fy hen nain, debyg iawn. Gwraig yr hen ŵr cant oed sy'n dal yn gaeth i'w wely yn ôl pob golwg. Mae'n haws meddwl amdano fel Taid. Llai o strach na rhoi'r 'hen' o'i flaen o o hyd. Wedi'r cyfan, does gen i ddim taid arall i'w ddrysu ag o bellach, nac oes?

Rydan ni'n cychwyn yn syth ar ôl brecwast, a'r blodau wedi'u lapio mewn hen bapur newydd. Mae car Huw'n fwy newydd a chyflym na char Miriam a'r seddi'n gynnes ar ôl gwres yr haul cynnar. Wyddwn i ddim fod y fynwent mor bell fel bod angen car. Wedyn dwi'n gweld ein bod ni'n mynd ar fwy o daith nag roeddwn i wedi'i ddisgwyl. Rydan ni'n gadael y car ac yn cerdded ychydig nes cyrraedd rhan o lwybr yr arfordir. Mae'r gwynt yn brathu fy ngwegil a dwi'n falch o'r hwd ar fy nghôt. Haul twyllodrus ydi o, rhywbeth del i edrych arno'n unig. Gwydrau bach o haul hydref yn pigo, pigo. Yn sydyn, yn annisgwyl, dwi'n teimlo rhywbeth yn dal ar fy ngwynt, yn union fel pe bawn i newydd lyncu'n groes. Dwi'n dechrau clirio fy ngwddw, tagu, ymladd am fy anadl nes bod fy llygaid i'n dyfrio. Mae Huw, wrth lwc, yn cario potelaid o ddŵr ac ar ôl llymaid neu ddau dwi'n dod ataf fy hun.

"Ti'n iawn?"

"Ydw, dwi'n meddwl. Llyncu fy mhoer yn groes neu rywbeth. Sori, be oeddech chi'n ei ddweud rŵan? Ro'n i'n tagu mor galed fel na chlywais i ddim gair!"

"Dweud wnes i mai yn y darn yma o fôr o'n blaenau ni y suddodd y *Royal Charter*. Ar y creigiau yna draw'n fan acw yr aeth hi."

Dwi'n crynu, ond nid oherwydd yr oerfel. Mae'r ias yna'n fy ngherdded eto. Mae Huw yn sylwi fy mod i'n edrych yn rhynllyd.

"Tyrd, mi awn ni â'r blodau 'na ar fedd Nain, er mwyn i ti gael gweld talp bach arall o dy hanes."

Mae hi'n amlwg mai'r gorffennol sy'n mynd â'i fryd o, a rhannu hen hanesion. Rêl athro. Dwi'n meddwl amdano wrth ei waith ac yn dod i'r casgliad fod ei ddarlithoedd yn rhai difyr os ydyn nhw unrhyw beth yn debyg i'r straeon mae o'n eu rhannu hefo fi. Mae pob hen fwthyn, neu goeden, neu ddarn o graig yn ei atgoffa naill ai o chwedl neu stori leol. Dyna pam fod yr amser yn hedfan yn ei gwmni. Mae fy nhad yn hynod ddiddorol. Dwi'n llithro fy mraich trwy'i fraich yntau ac mae'n teimlo'n iawn, yn beth naturiol i'w wneud. Dwi wedi cael hyd i fy nhad iawn o'r diwedd a fedra i ddim dechrau disgrifio'r teimlad. Am y tro cyntaf yn fy mywyd dwi'n teimlo fy mod i'n perthyn. Gyda phang o euogrwydd dwi'n sylweddoli nad ydw i wedi meddwl am Eurwyn, na Catrin, na Siwan yn ystod y dyddiau diwethaf 'ma. Mi fydd yn rhaid i mi fynd yn ôl adra fory oherwydd eu bod yn dychwelyd o'u gwyliau drennydd. Mae'n rhaid i mi fod yno cyn iddyn nhw gyrraedd.

"Ti'n bell i ffwrdd, Ela. Ceiniog amdanyn nhw!"

"Dydyn nhw ddim werth ceiniog!" Dwi'n gwenu arno, ac yn egluro am fy nghartref maeth. Mae'i lygaid o'n cymylu a fedra i ddim darllen ei deimladau.

"Mae'n rhaid i minnau fynd yn ôl i Lerpwl heno hefyd."

Mae hyn yn ergyd ond ddylai o ddim bod. Wedi'r cyfan, mi wyddwn mai ymweld â'i hen gartref roedd Huw, ac ar ymweliad dw innau. Mae'n rhaid i ni'n dau fynd adra rhywbryd. Dim ond nad ydw i'n sicr iawn lle mae fy adra i bellach. Dwi'n gofyn yn sydyn:

"Yn yr ysgol hefo'ch gilydd oeddech chi, ia? Chi a Mam."

"Rhyw fath. Roedd Yvonne yn y Chweched a minnau'n gweithio fel gofalwr yn yr ysgol."

"Gofalwr?"

Mae hyn yn llai rhamantus nag o'n i wedi'i ddychmygu. Ond mae fy nhad yn ddarlithydd Hanes. Dwi ddim yn deall ac mae o'n sylwi ar fy mhenbleth.

"Dwy flynedd o wahaniaeth oedran oedd rhyngon ni. Roedd hi'n newydd ddechrau yn y Chweched Dosbarth a finna'n barod i adael am y coleg. Ond aeth fy nhad yn wael. Ei galon o. Mi fu farw o drawiad yr wythnos cyn i mi orfod gadael. Mi newidiodd y plania wedyn. Mi arhosais adra am flwyddyn i edrych ar ôl Mam a chael gwaith dros dro fel gofalwr yn yr ysgol. Felly, roedd Yvonne a fi'n dal i weld ein gilydd. Dwi'n meddwl ei bod hi'n rhyw obeithio y byddwn i'n gohirio mynd i'r coleg am byth, am wn i. Pan glywodd hi 'mod i wedi cael cynnig lle am yr eildro, ymhen blwyddyn, mi dorrodd bob cysylltiad. Iddi hi, roedd popeth yn dod i ben mae'n debyg. Ond fyddai hynny wedi gwneud dim gwahaniaeth i mi. Mae hi'n amlwg erbyn hyn mai disgwyl babi oedd hi. Dy ddisgwyl di." Mae llygaid Huw'n tyneru. "Roedd ganddi ofn fy nal i'n ôl. Ond fyddai hynny ddim wedi digwydd. Ro'n i'n ei charu hi, Ela. Ac mi fyddai Mam wedi helpu. Byddai hynny wedi bod yn achubiaeth iddi ar ôl colli 'nhad."

Mae 'mhen i'n troi wrth feddwl am fywydau'r holl bobol 'ma, fy nheulu i. Mae'r cyfan yn swnio fel rhywbeth allan o nofel. Miriam yn colli'i gŵr yn ifanc, ac yn dod yn ôl at ei thad i hen gartref y teulu, tŷ'r doctor. Fy nhad wedyn yn aberthu blwyddyn o'i addysg, a fy mam yn aberthu'i hapusrwydd drwy beidio dweud wrtho'i bod yn disgwyl babi rhag iddo gael mwy o loes. Dwi ddim yn gwybod beth i'w ddweud, beth i'w feddwl. Mae'r dagrau'n cronni ac mae Huw'n cydio yn fy llaw.

"Y peth olaf dwi isio i ti ei wneud, Ela, ydi dy feio dy hun. Chdi oedd y plentyn diniwed yn hyn i gyd."

"Yr un fath â Hannah, babi Nel?"

"Wel, ia, am wn i."

Erbyn hyn, rydan ni yn y fynwent ac wedi cyrraedd yr hen ran lle mae'r cerrig beddi hynafol. Mae Huw'n penlinio wrth un ohonyn nhw ac yn dechrau datod y papur sydd am y blodau.

"Dyma hi, fy nain, yr hen Mary Grace."

"Mam Miriam."

Fy hen nain i. Pe bai Mary Grace yn fyw heddiw byddai'n naw deg wyth mlwydd oed. Ond marw'n ifanc wnaeth hi. Hanner cant a dwy. Dwi'n meddwl am Owen Huw, fy hen daid yn gaeth i'w wely, wedi gorfod byw am bron i hanner can mlynedd arall hebddi. Mae o'n gaeth i'w orffennol hefyd. Mae'r blodau melyn ffres yn dlws yn erbyn y garreg lwyd a dwi'n gwrthod teimlo'n drist. Dwi newydd ddarganfod fy nhad a dwi'n benderfynol o wneud yn fawr o bob eiliad yn ei gwmni nes bydd o'n gadael. Nes byddwn ni'n cyfarfod eto. Dwi'n edrych o fy nghwmpas, ar hyd y rhes o gerrig ond dwi ddim yn gweld yr hyn dwi'n chwilio amdano. Mae'n rhaid i mi gael hyd iddo.

"Pa un ydi bedd Nel?"

Mae o'n fy arwain i ato'n syth. Yn gwybod yn union lle i gamu rhwng yr hen feddau. Carreg fechan, gam, ddisylw ydi hi. Ro'n i'n iawn i dybio mai talfyriad o'i henw oedd Nel. Ellen oedd hi. Y sillafiad Saesneg hefo dwy 'l'. Dwi'n meddwl am Mary Grace. Enwau Saesneg wedi'u hynganu yn Gymraeg. Ond nid dyna sy'n gwneud i mi edrych eto ar y garreg. Yr hyn sy'n tynnu fy sylw ydi'r dyddiad y bu hi farw. Hydref 26, 1861. Doedd hi ddim eto'n ddeunaw oed. Yr un oed â fi rŵan. Bron yn ddeunaw. A'r diwrnod – yr un dyddiad y suddodd y *Royal Charter*. Mae'r teimlad rhyfedd yn dod drosta i am yr eildro, yr ias a wedyn y teimlad o fygu, o fethu cael fy ngwynt, fy ngwddw a fy nhrwyn yn llawn o rywbeth sy'n gwneud i mi ymladd am fy anadl. Dydi o ddim yn para'n hir y tro hwn, eiliadau. Cyn hired â thisiad. Mae Huw yn gweld 'mod i wedi sylwi ar y dyddiad.

"Cyd-ddigwyddiad rhyfedd."

Dwi'n syllu'n hir arno. Sut nad ydi o wedi deall?

"Dach chi ddim yn gweld? Mae hi wedi dewis y dyddiad yma, yn dydi? Oni bai am y dyddiad hwn fyddai hi ddim wedi gorfod mynd drwy'r holl boen yna. Syrthio mewn cariad hefo rhywun a oroesodd y drychineb a'i golli wedyn pan oedd hi'n meddwl bod popeth yn iawn. Beichiogi. Cuddio'r ffaith ei bod yn fam ddibriod yn y cyfnod hwnnw ac wynebu dicter a siom ei thad a'i mam. Cuddio'r ffaith ei bod yn fam i Hannah. Mi fasa hynny i gyd yn ddigon i unrhyw ferch fod isio'i lladd ei hun."

"Dyna rwyt ti'n feddwl ddigwyddodd?"

"Mae'n ormod o gyd-ddigwyddiad fel arall, tydi?"

"Dydi hi ddim yn y rhan o'r fynwent lle roedden nhw'n claddu pobol oedd yn cyflawni hunanladdiad."

"Wel, nac'di, debyg iawn. Os oedden nhw'n gallu cuddio'r ffaith ei bod hi'n feichiog, mi fasa'n ddigon hawdd cuddio'r ffaith ei bod hi wedi'i lladd ei hun. Doctor oedd ei thad hi wedi'r cwbwl."

Dydi o ddim yn ymateb ymhellach i fy namcaniaeth i, dim ond edrych ar ei wats ac awgrymu y dylen ni fod yn ei throi hi am adra. Dwi'n anadlu'n rhwyddach eto wrth i ni adael y fynwent. Fel pe bai rhyw ddwrn anweledig wedi llacio'i afael ar fy ysgyfaint. Dwi'n falch o gyrraedd yn ôl. Mae 'nhrwyn a 'mochau'n pigo ar ôl llosg y gwynt.

"Pryd wyt ti'n gorfod cychwyn?"

Dwi'n sylweddoli mai hefo Huw mae Miriam yn siarad, nid hefo fi. Mae gen i drefniant i aros un noson arall. Mae'n chwith gen i weld fy nhad yn mynd. Dim ond newydd gael hyd i'n gilydd ydan ni. Dwi'n gwylio'i gar o nes ei fod o wedi diflannu'n llwyr o'r golwg rownd y tro yn y lôn sydd yn ei arafu am ennyd.

"Ella ca' i gyfle i fynd hefo fo i Lerpwl rhyw ddiwrnod."

Mae Miriam yn dawel am eiliad.

"Ella wir."

Ond dydi hi ddim yn swnio'n rhy siŵr. Mae rhyw deimlad o banig yn cydio ynof fi'n sydyn. Beth os na wela i Huw eto? Mae o'n diflannu eto o fy mywyd i a does gen i ddim sicrwydd y daw o'n ôl. Mae'n fy nychryn y ffordd y gall Miriam ddarllen fy meddwl – yn llythrennol, bron.

"Paid â phoeni. Fydd o ddim isio colli cysylltiad hefo chdi rŵan. Mi gewch gyfarfod eto'n fuan, gei di weld."

"Sut ydach chi'n ei wneud o?"

"Be?" Mae hi'n sbio'n syn arna i ond dwi'n gwybod ei bod hi'n deall.

"Darllen meddyliau. Darllen fy meddwl i."

"Be sy'n gwneud i ti ddweud peth felly?"

"Ond mae o'n wir, tydi? Mi rydach chi'n gwybod pethau. Wnaethoch chi ddim synnu pan welsoch chi fi'n cyrraedd yma'r tro cyntaf hwnnw. Mi ddywedoch chi rywbeth sbwci. Eich bod chi wedi bod yn disgwyl i mi ddod."

"Sbwci!" Mae hi'n gwenu. "Chi bobol ifanc a'ch geiriau! Ond ia, efallai bod y peth yn sbwci, chwedl tithau, i ti. Mae o'n naturiol i mi. Yn rhywbeth dwi wedi dysgu byw hefo fo bellach."

"Be? Ydach chi'n seicic?"

Dydi Miriam ddim yn ateb yn syth. Mae yna awel sydyn o rywle'n cribo drwy'n gwalltiau ni a dwi'n teimlo'n oer. Rydan ni'n troi am y tŷ. Mae Owen Huw yn ei ôl yn ei gadair arferol o flaen y teledu, ei gefn at yr ystafell ac atom ninnau. Mae o'n hanner pendwmpian, hanner gwylio'i raglen, yn gaeth yn ei fyd bach ei hun. Mae hi'n mynd trwodd i roi'r tegell ymlaen. Mae pawb yma'n yfed galwyni o de, hyd yn oed yr hen ŵr. Mae panad yn ateb i bopeth. Dwi wedi dechrau arfer yn rhyfeddol â'r ddefod, ac mi fydd hi'n anodd peidio gwneud paneidiau bob munud rŵan pan af i adra'n ôl.

"Mi gei di ddweud pryd wyt ti isio i mi dy ddanfon di adra fory."

"Dach chi'n ei wneud o eto!"

"Be, darllen dy feddwl di?" Mae hi'n gwenu bron yn ymddiheurol. "Cyd-ddigwyddiad ydi o ran amlaf, sti. Rhag ofn i ti bryderu nad ydi dy feddyliau di'n breifat! Dwi wedi tiwnio i mewn i ti'n eitha da ac ydw, efallai fy mod i'n seicic fel rwyt ti'n ei alw fo. Dwi'n teimlo pethau, yn synhwyro pethau. Dwi'n fwy effro i deimladau eraill na'r rhan fwyaf o bobol. Mae hi wedi bod felly erioed. Gweld pethau cyn iddyn nhw ddigwydd. Gweld tarddiad pethau. Edrych weithiau ar ddodrefnyn derw ac yn gweld y goeden. Edrych ar damaid o ddrec môr wedi'i olchi i'r lan hefo'r llanw a gweld…"

Mae hi'n stopio ar ganol brawddeg fel pe bai ias yn mynd drwyddi.

"Gweld beth?"

"Y llongddrylliad. Hynny ydi, os mai o rywbeth felly y daeth y pren."

"Gawsoch chi brofiad felly yn gysylltiedig â'r *Royal Charter*?"

Mae Miriam yn oedi mor hir dwi'n cymryd nad ydi hi ddim yn mynd i ateb. Ond o'r diwedd mae hi'n codi'i phen ac yn siarad yn isel fel pe bai hi ofn i Owen Huw glywed y sgwrs.

"Dwi'n cael hynny o hyd. Dyna pam na fydda i byth yn cerdded ar hyd y traeth erbyn hyn. Dwi'n gweld gormod. Dydi pobol ddim yn gwybod fod yna atgofion yn cael eu golchi i'r lan o hyd. Mewn cerrig, cregyn. Darnau o wymon, hyd yn oed. Dwi wedi codi ambell i gragen at fy nghlust ac yn hytrach na sŵn y môr dwi'n clywed lleisiau. Sgrechfeydd y rhai oedd ar fwrdd y llong cyn i'r gwynt lyncu'r geiriau. Mae o'n annioddefol."

Mae dagrau yn llygaid Miriam rŵan.

"Y ddawn 'ma, Ela. O weld pethau. O deimlo pethau. Mae o'n fwy o felltith nag o fendith yn aml, cofia. Y noson cyn i ti ddod yma mi ges i freuddwyd am Nel, yr hogan yn y llun sydd yn dy stafell di. Yr un rwyt ti'r un ffunud â hi. Nel oedd cychwyn y cyfan. Roedd ganddi hithau ddoniau arallfydol, meddan nhw. O'i llinach hi rydan ni i gyd yn tarddu. Ti, fi, dy dad, fy nhad innau."

"Be oedd y freuddwyd?"

"Dim byd mawr. Nel yn cerdded i fyny'r llwybr tuag ata i, at y tŷ. Yr un ystum, yr un cerddediad, yr un adeg o'r dydd ag y cyrhaeddaist ti. Dim ond eich dillad chi oedd yn wahanol. Dwi'n cofio fy nain ar ochr fy nhad – mi roedd hithau'n honni ei bod hi'n gallu gweld ysbrydion a darllen dail te ac ati – yn dweud bod breuddwydio am y meirw'n golygu cysylltiad neu gyfarfyddiad â'r byw. Ac roedd hynny'n iawn, yn doedd? Nel a chdi. Dyna sut y gwyddwn i y byddet ti'n dod."

Mae'r croen gŵydd yn dechrau codi ar fy ngwegil a fy mreichiau. Dwi'n cymryd llowc sydyn o'r te ac yn llosgi fy nhafod.

"Mae o gen ti hefyd, tydi, Ela?"

"Be?"

"Y gallu rhyfedd 'ma i gysylltu â'r byd arall."

"Esgob, nac'di. Wel, ddim i mi fod yn gwbod..."

"Wyt ti'n siŵr, Ela? Wyt ti'n berffaith siŵr? Dim gweledigaethau? Breuddwydion od? Iasau? Pethau'n dal ar dy wynt di..."

Dwi'n codi fy llygaid mewn braw ac fe ŵyr Miriam ei bod wedi taro'r hoelen ar ei phen. A ddylwn i ddweud wrthi am yr iasau rhyfedd, y teimlad o fethu anadlu ar lwybr yr arfordir ac wedyn ar lan bedd Nel? Am ryw reswm, dwi'n penderfynu dweud dim. Mae Miriam yn gallu rhag-weld digon o bethau amdana i'n barod. Mi wna i gadw'r wybodaeth i mi fy hun, am y tro beth bynnag. Wedi'r cyfan, dydi o ddim yn beth hawdd iawn i'w egluro. Llyncu fy mhoer yn groes ddwywaith. Efallai mai dyna'r cyfan oedd o. Dwi'n penderfynu troi'r stori'n ôl i gyfeiriad Huw.

"Pryd ydach chi'n meddwl y gwela i 'nhad eto?"

Ydi Miriam yn gorfod meddwl am ei hateb? Yr

hen banig 'na eto, yn fy rhybuddio i nad ydi pethau cweit fel y dylen nhw fod.

"Mi fydd yn siŵr o ddod i gysylltiad."

"Ia, ond pryd? Mae o'n dod adra bob penwythnos, ydi?"

Dwi wedi taro ar rywbeth. Mae golwg drist yn llygaid Miriam.

"Nid fa'ma ydi adra i Huw bellach. Ydi, mae o'n dod weithiau pan fedar o, ond yn Lerpwl mae'i gartref o erbyn hyn."

"Ia, ond mae'n siŵr ei fod o'n ddigon unig yno ar ei ben ei hun ar ddiwedd wythnos waith, tydi? A rŵan ein bod ni wedi cael hyd i'n gilydd, wel, mae'n gyfle iddo fo ddod adra'n amlach, tydi..."

Dwi'n gadael i sŵn fy llais ddrifftio i rywle, a marw. Mae'r olwg ar wyneb Miriam yn fy rhybuddio 'mod i'n rhedeg cyn cerdded. Yn mynd o flaen pethau.

"Ela," mae'i llais hi'n dyner ond yn bendant, "dydi o ddim yn unig. Mae ganddo fo wraig a phlant. Ei deulu ei hun. Fan'no mae'i fywyd o."

Pam na feddyliais i am y posibilrwydd hwnnw? Dwi mor wirion. Wrth gwrs. Pam na fyddai ganddo fo wraig a theulu? Oedd, roedd o mewn cariad hefo Yvonne, fy mam. Ond roedd hynny bron i ddeunaw mlynedd yn ôl. Roedd hi wedi gorffen pethau, wedi troi'i chefn ar eu perthynas. Wyddai o ddim chwaith ar y pryd mai i'w arbed o a'i yrfa y gwnaeth hi hynny. Mae'r cyfan mor drasig. A dw inna yn y canol, yn teimlo fel pe bai rhywun wedi rhoi swadan i mi hefo cadach oer. Wnaeth o ddim dod â'i wraig a'i blant hefo fo, wrth reswm. Byddai hynny'n chwithig. Gormod yn rhy fuan. Yna, mae'n fy nharo i. Efallai nad ydi o wedi dweud wrthyn nhw fod ganddo ferch ddeunaw oed sydd newydd ymddangos yn annisgwyl o rywle. Efallai nad ydi o isio iddyn nhw wybod o gwbwl. A phwy wêl fai arno ar ôl yr holl flynyddoedd? Merch ddiarth fel fi'n troi i fyny ac yn chwalu popeth. Ond roedd o mor annwyl ohonof i, mor hapus o gael hyd i mi. Mi wnaethon ni fondio fel tad a merch yn ddigwestiwn. Yn do? Dyna'r argraff roddodd o i mi, beth bynnag. Efallai mai actor da ydi o, neu'n rhy glên i frifo 'nheimladau i drwy gadw pellter. Ac eto...

"Paid â phendroni a chodi bwganod rŵan, Ela. Roedd Huw'n wirioneddol falch o dy weld di. Mae o wrth ei fodd eich bod chi'ch dau wedi cyfarfod o'r diwedd."

Ia, cyfarfod. Mae yna wahaniaeth rhwng cyfarfod unwaith neu ddwy a bod yn rhan o fywyd rhywun heb amodau. Mae popeth wedi newid, wedi cymhlethu. Dwi ddim yn gwybod ydw i isio aros yma hefo Miriam am noson arall. Ac eto, os af i adra rŵan cyn i Eurwyn a Catrin a Siwan ddod yn eu holau, mi fydda i ar fy mhen fy hun mewn tŷ gwag yn hel meddyliau. Fedra i ddim dygymod â hynny chwaith.

Dwi'n codi a helpu Miriam i glirio'r bwrdd, yn nôl cwpan Owen Huw oddi ar fraich ei gadair. Dydi o ddim yn fy ngalw i'n Elin heddiw. Prin ei fod o'n fy nghydnabod i o gwbwl. Faswn i ddim wedi meindio. Roedd fy ngalw i'n hynny yn rhoi i mi'r teimlad o berthyn, yn doedd? Yn cydnabod y tebygrwydd teuluol rhyngof fi a'i chwaer o. Fi ac Elin. A fi a Nel.

Dwi'n mynd i 'ngwely'n gynnar, cyn iddi dywyllu. Mae gen i gur pen. Yr holl stres, mae'n debyg. Mae yna rywbeth yn braf mewn cau'r llenni a hithau'n dal yn olau a gwrando ar sisial pell y môr drwy un o'r ffenestri cilagored. Dwi'n tynnu fy wats a'i rhoi ar y bwrdd wrth ymyl y gwely, yn taflu un cip sydyn arni cyn tynnu'r dillad at fy ngên. Hydref y pumed ar hugain. Bron yn ddiwedd gwyliau fy nheulu maeth i. Adra fory i agor ein ffenestri ninnau cyn iddyn nhw gyrraedd rhag iddyn nhw sylwi nad ydw i wedi bod yno.

Mae'n rhaid mai mynd i gysgu gan feddwl am agor ffenestri sy'n gwneud i mi freuddwydio amdanyn nhw. Ffenestri mawr, hen ffasiwn yn ysgwyd ac yn clecian a'r gwynt yn eu bygwth. Dwi'n deffro'n sydyn ond mae'r sŵn ysgwyd yma o hyd. Mae'r llenni yn chwythu'n wyllt ac mae yna ddrafft oer yn meddiannu'r stafell. Dwi'n codi ac yn cau'r ffenest fawr yn wyllt, yn stwffio'r wejan rwber rhyngddi a'r ffrâm rhag y clecian ofnadwy.

Nid breuddwyd oedd o. Mae hi'n storm.

15

O berfedd y storm mae'r nos yn chwyrnu'n fygythiol.
Un. Dau. Tri. Mae mellten yn rhwygo'r awyr uwch ben
y bae ac yn fflachio fel stribed o olau neon. Mae hi'n
hardd ac yn ddychrynllyd ar yr un pryd. Fedra i ddim
mynd yn ôl i gysgu rŵan, a fedra i ddim aros yn fy
ngwely chwaith. Mae'r olygfa dros y môr yn rhyfeddol.
Dwi'n gwybod o fy ngwersi Daearyddiaeth yn yr ysgol
fod y storm yn agos achos does yna fawr o fwlch
rhwng y mellt a'r taranau. Ar y bwrdd wrth y gwely
mae wyneb fy wats yn sgleinio. Dau o'r gloch y bore.
Mae hi'n fory'n barod. Y chweched ar hugain. A dwi'n
sylweddoli'n sydyn beth ydi arwyddocâd y dyddiad.
Hydref y chweched ar hugain. Dyddiad y storm enwog
a suddodd y *Royal Charter*. Mae hyn yn rheswm ynddo'i
hun i mi roi fy ngwnwisg dros fy ysgwyddau. Dydi
hi ddim yn oer. A dweud y gwir, mae hi'n glòs. Rêl
tywydd terfysg. Ond mae'r iasau wedi cychwyn eto, yn
dechrau fel croen gŵydd ar fy ngwegil ac yn cerdded
fy asgwrn cefn fel morgrug traed rhew.

Hydref y chweched ar hugain. Oes 'na rywbeth
arall sy'n gysylltiedig â'r dyddiad hwnnw? Lle gwelais
i o? Wrth i sgytwad sydyn feddiannu un o'r ffenestri,
dwi'n cofio. Carreg fedd Nel. Mae'r hen deimlad o
fygu yn bygwth cydio ynof i eto. Dwi'n llyncu'n galed,
trio meddiannu fy anadlu, a'r tro hwn mae'r teimlad
yn pasio. Dwi'n llwyddo rywsut i reoli'r panig oedd

yn fwrlwm yn fy nghorn gwddw fel y digwyddodd y troeon cynt. Mae rhyw fath o osteg yn dod drosof a does gen i ofn dim byd erbyn hyn. Fedra i ddim esbonio'r peth ond mae yna ryw bresenoldeb yma, rhyw deimlad od fod rhywun arall yn y stafell heblaw amdana i. Bron nad ydw i'n dychmygu 'mod i'n clywed sŵn anadlu. Ond dydi hynny ddim yn bosib. Ydi o? Mi ddylwn fod yn crynu gan ofn ond dwi'n rhyfeddol o hunanfeddiannol. Ac yna, mae rhywbeth yn fy nghymell i droi 'mhen.

Mae hi'n fach, yn llai na fi, yn gul, bron yn eiddil. Fyddai yna ddim byd yn arbennig nac yn drawiadol yn ei hwyneb bach llwyd oni bai am ei llygaid glas. Maen nhw'n olau yn nhywyllwch yr ystafell, yn ddiwyro fel lleuadau. Maen nhw'n ei goleuo hi i gyd.

"Nel?"

Dydi fy llais yn ddim ond sibrydiad. Dydw i ddim hyd yn oed yn siŵr a ydw i wedi siarad ynteu dychmygu 'mod i wedi ynganu'r geiriau.

Mae hi fel pe bai hi'n edrych heibio i mi ac allan drwy'r ffenest i erwau'r môr o'n blaenau. Mae ei gwallt a'i dillad yn diferu, fel pe bai hi newydd ddod i mewn o'r glaw. Dwi'n ymwybodol o ryw fath o suo, rhyw hymian isel, yn llenwi'r ystafell. Mae o'n drydanol ac fel pe bai'n treiddio i 'ngwythiennau, o dan fy nghroen, ac eto, prin y gallaf ei glywed yn iawn. Rhaid i mi glustfeinio, sefyll yn stond i'w deimlo, ond mae o yna, o dan bopeth, yn gryndod anweledig fel tonnau gwres ar ddydd o haf poeth.

Dydi Nel ddim fel pe bai'n fy nghlywed nac yn fy ngweld. Wrth i mi syllu arni mae hi'n mynd allan o ffocws, yn toddi o flaen fy llygaid. Mae hi'n gysgod, yn gwmwl, yn ddim, ond mae rhyw wawl rhyfedd yn dal i befrio yno fel pe bai glas ei llygaid wedi aros yn hirach na'r gweddill ohoni. Wrth i fy llygaid gynefino â'r ffordd mae hi'n diflannu mae yna andros o sŵn. Dyma sydd yn fy nychryn, yn peri i mi droi, sŵn rhywbeth yn disgyn a gwydr yn torri. Y llun. Mae'r llun o Nel wedi disgyn oddi ar y wal a'r gwydr yn deilchion. Plygaf a'i godi'n ofalus rhag i mi agor fy mys ar y darnau gwydr miniog. Wrth i mi afael yn y ffrâm fregus mae'n dod oddi wrth ei gilydd a dwi'n sylwi ar rywbeth yn disgyn allan rhyngddo a'r llun. Darn o bapur brau, melyn yn llawn ysgrifen fân.

Mae'r storm yn pellhau. Daw un fflach o fellten ddyfrllyd eto ac yn ei golau gwan sylwaf ar y gwlybaniaeth o dan fy nhraed noeth. Y gwlybaniaeth a ddiferodd oddi ar odre gwisg Nel a staenio'r llawr pren. Nid glaw oedd o, ond dŵr hallt y môr.

Yng ngolau cyndyn y gannwyll nos mewn soser wrth y gwely dwi'n darllen yr ysgrifen sydd heb ddiflannu'n llwyr oddi ar y ddalen – y llythyr sgrifennodd Nel cyn ei thaflu'i hun i'r môr a diweddu'i bywyd. Mae'n amlwg yn y nodyn bach trist at ei rhieni, y nodyn a guddiwyd mor ofalus ganddynt tu mewn i ffrâm y llun, mai dyna oedd bwriad Nel. Wedi colli'i chariad, dioddef dicter a siom ei thad a'i mam, rhoi genedigaeth mewn poen, ofn a hiraeth a byw hefo'r ffaith na allai hi byth arddel ei merch fach ei hun, daeth Nel i'r unig benderfyniad posib yn ei golwg hi. Yr unig un bellach a fyddai'n ei derbyn i'w freichiau agored oedd y môr.

Mae hi'n stori mor drasig mae dagrau yn fy llygaid. Dydw i ddim yn mynd yn ôl i'r gwely. Yn hytrach, dwi'n hel fy mhac erbyn y bore, ac yna'n eistedd ar erchwyn y gwely uchel a gwylio'r wawr yn torri dros y tonnau llwyd.

"Ti wedi codi'n gynnar."

Cynt na Miriam ei hun heddiw. Cyn i'r tecell ferwi. Cyn i fwrdd y gegin gael ei orchuddio â'r arlwy arferol. Fydd yna ddim lle'n cael ei osod heddiw ar gyfer Huw, fy nhad, y darlithydd o Lerpwl sydd yn picio yn ôl ac ymlaen ac yn bwriadu camu weithiau tu allan i'w fywyd arferol er mwyn dechrau dod i adnabod ei ferch newydd. Ac mae hynny'n iawn, yn ocê.

"Diolch am bopeth, Miriam."

"Croeso, siŵr. Wyt ti'n iawn?"

Ond dwi'n meddwl ei bod hi a'i galluoedd 'gweld' wedi synhwyro'r ateb eisoes:

"Dwi'n meddwl 'mod i'n barod i fynd adra."

16

Mae hi'n sioc, cyrraedd yn ôl a gweld bod pawb yno eisoes. Siwan sy'n agor y drws cyn i mi gael cyfle i estyn am fy ngoriad.

"Lle ti wedi bod? Oeddet ti ar goll?"

Dwi'n sefyll yno a 'mag-dros-nos yn fy llaw. Dim cyfle i wadu. Dim cyfle i guddio.

"Ela! Roeddan ni'n poeni..."

Does yna ddim cerydd yn ei lais o ond mae llygaid Eurwyn yn cuddio rhywbeth arall. Mae gen i ofn wynebu Catrin. Nid dyma oedd y cynllun. Roeddwn i i fod wedi cyrraedd o'u blaenau, wedi agor ambell ffenest, wedi troi'r gwres ymlaen. Rhoi'r argraff mai yma ro'n i drwy'r adeg tra oedden nhw ar eu gwyliau. Dwi'n sylweddoli'n sydyn nad oeddwn i isio'u brifo nhw. Dyna'r rheswm wnes i ddim dweud wrthyn nhw 'mod i'n mynd i chwilio am deulu fy nhad. A rŵan 'mod i'n ôl mae o'n teimlo'n iawn, yn teimlo mai yma mae fy lle i. Dwi'n plygu i roi cwtsh i Siwan ac mae Dingo'n ei lusgo'i hun i roi'i drwyn ar fy llaw, yn siglo rhyw fymryn ar ei gynffon fel pe bai hi'n rhy drwm iddo. A dwi'n gwybod 'mod i'n gwneud hyn i gyd er mwyn osgoi Catrin. Ond fedra i ddim gwneud hynny am byth.

Mae hi'n sefyll yn nrws y gegin a chadach sychu llestri yn ei llaw. Dwi'n disgwyl am y geiriau gwastad, bron yn oer, a fydd yn gwneud fy euogrwydd yn gyflawn. Ond dydyn nhw ddim yn dod. Mae hi'n edrych arna i ac mae dagrau lond ei llygaid. Eiliadau'n unig, ond maen nhw'n hongian yno rhyngon ni am dipyn. Mae amser yn llonydd fel fi, a 'nhraed wedi'u gludo i'r llawr, yn methu, gwrthod symud. Ac yna rydan ni ym mreichiau'n gilydd, Catrin yn crio a finna'n trio peidio ac yn yr eiliadau hynny dwi'n gwybod 'mod i adra.

Dydi dweud yr hanes wrthyn nhw ddim mor anodd â hynny. Y peth anoddaf ydi sylweddoli mai fy nheulu gwaed go iawn i ydi'r dieithriaid o hyd.

"Pe baet ti wedi dweud wrthon ni mi fasa Catrin a finna wedi dod hefo ti. Doedd dim rhaid i ti wneud hyn i gyd ar dy ben dy hun, sti."

"Weithiau, mae yna ambell beth mae'n rhaid i ti ei wneud ar dy ben dy hun, Eurwyn. Mae o'n rhan o'r broses."

Catrin. Yn fy amddiffyn i. Dwi'n dal yn gegrwth ers y croeso ges i ganddi gynnau.

"Pa broses?"

"Tyfu i fyny. Cael hyd i ti dy hun. A chwarae teg iddi, roedd gan Ela fwy o waith chwilio na'r rhan fwyaf ohonon ni."

Dydi hi ddim yn dweud hyn yn gas. Mae ei geiriau hi'n dyner. Dwi'n sylweddoli'n sydyn mai Catrin ydi'r un agosaf at fam go iawn fu gen i erioed a dwi'n cywilyddio na wnes i ddim gweld hyn o'r blaen.

"Roeddan ni'n poeni ein bod ni wedi dy golli di, Ela. Dy fod ti wedi cael hyd i dy deulu go iawn a dy fod ti wedi penderfynu'n gadael ni. Wedi'r cyfan, rwyt ti bron yn ddeunaw. Mae gen ti hawl."

"Ond..." Dwi ddim yn gwybod a fedra i ei ddweud o.

"Ond be?"

Ond mae'n rhaid i mi. Mae o wedi bod yn fy mhoeni i'n fwy nag roeddwn yn fodlon cyfaddef.

"Mae gennych chitha hawl erbyn hyn i gael gwared arna inna..."

Y funud dwi'n ynganu'r geiriau dwi'n sylweddoli pa mor wirion a gwag maen nhw'n swnio. Daw Siwan i mewn a gwasgu rhwng Catrin a fi ar y soffa.

"Lle ti wedi bod 'ta, Ela?"

Dwi'n rhoi fy mraich amdani. Fy chwaer fach swnllyd, fusneslyd, annwyl.

"Erlid ysbrydion."

"Be ydi 'erlid'?"

"Chwilio a mynd ar ôl rhywbeth. Cael gweld a wynebu rhywbeth fel nad wyt ti mo'i ofn o ddim mwy."

A wnes i erlid Nel mewn gwirionedd? Dwi'n meddwl mai hi ddaeth ata i, taswn i'n onest. Ond roedd yna ysbrydion ar wahân i Nel i'w herlid a'u rhoi i orffwys. Nid mewn llefydd oer chwaith fel môr Moelfre. Llefydd clyd. Dwi'n meddwl yn sydyn am garreg fedd Nel, yn syml ond mewn llecyn cysgodol oedd yn cael